# Carmen Amoraga

## *Todas las caricias*

# Carmen Amoraga
## *Todas*
## *las caricias*

algaida

Diseño e ilustración sobrecubierta: Paniagua & Calleja

Ilustración interiores: Adriana Santos

Fotografía autora: José García Poveda

© Carmen Amoraga, 2000
© Algaida Editores, 2000
Avda. San Francisco Javier 22
41018 Sevilla
Teléfono 95 465 23 11. Telefax 95 465 62 54
e-mail: algaida@algaida.es
ISBN: 84-7647-993-X
Depósito legal: M-11.893-2000
Impresión: Huertas A.G. (Madrid)

*Para Gregorio Amoraga,*
*el mejor ejemplo.*

*Para Carmen Toledo,*
*la mejor amiga.*

*Y para Amat Sapena, Julia*
*Ruiz y Ana Gimeno, por ayu-*
*darme a vivir, y a escribir.*

*Y por eso cultivaban jardines de sueños*
*y los exportaban con grandes lazos de colores*
*y los profetas de la oscuridad se pasaban noches*
*y días enteros*
*vigilando los pasajes y los caminos*
*buscando estos peligrosos cargamentos*
*que nunca lograban atrapar*
*porque el que no tiene ojos para soñar*
*no ve los sueños ni de día ni de noche*

Gioconda Belli

# PRIMERA PARTE

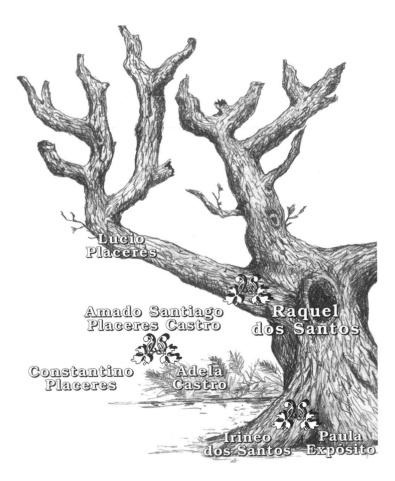

Lucio
Placeres

Amado Santiago
Placeres Castro

Raquel
dos Santos

Constantino
Placeres

Adela
Castro

Irineo
dos Santos

Paula
Expósito

NO TENGO MEMORIA PARA RECORDAR DE DÓNDE me viene mi primer recuerdo; tal vez este detalle no sea más que algo casual, aunque con el tiempo he resuelto que el azar poco tiene que ver con los acontecimientos más importantes de nuestra vida, especialmente si ésta es larga, como ha ocurrido en mi propio caso. Así he podido comprobarlo con el paso de los años, y por eso he dado por buenos los dos únicos cuentos que mi madre me contó desde que —para esto, ya sí— me alcanza la memoria.

Yo nací una noche clara de luna llena. El cielo estaba partido en dos por un fulgor blanquecino que parecía aventurar un amanecer inmediato, en lugar de las horas de noche que aún quedaban por delante. Aquella luz inmensa y redonda no tenía en apariencia nada de insólita: los amantes se amaban sin mesura empujados por su influjo, y las malas sangres hervían en las venas bullendo con su brillante atracción; los viejos asustaban a la chiquillería con leyendas de cualquier calaña, los mares se levantaban, los cabellos crecían y los partos se adelantaban, de un modo que mi madre no tardó mucho tiempo en llegar a comprobar. Pero aquella noche de luna llena era diferente. Ante todo, porque iba a ser su brillo el que me alumbrara hasta este mundo, y además porque no era la primera vez que el astro hacía su aparición en medio del cielo durante aquel mes, desafiando la memoria y las creencias de las gentes, y alentando de paso temores y supercherías, como es bien sabido que ocurre en estas situaciones. Pocos se aventuraban a salir a la calle cuando había anochecido, espantados por un fenómeno semejante que casi nadie recordaba, aunque yo misma he vuelto a presenciarlo alguna que otra vez en los interminables años que he vivido. La valentía es un don con el que sólo nacen algunas personas: indudablemente mi madre nació con ese don, y pasados los años también yo he asimilado su herencia; así que ella no se dejó amedrentar por las supersticiones, y se lanzó a la calle con el vientre hinchado y el corazón quebrado dentro de su pecho. Mil veces le pedí que me repitiera el cuento, y mil veces me lo contó mi madre de forma distinta, antes de que decidiese enmudecer para casi toda su vida.

Cambiaba en su relato el color del cielo, el frío del viento, la calma de la noche o el rumor de su vestido al rozar con el suelo; nunca fue capaz de afirmar con certeza si caminó o si sus pies volaban, si anduvo llorando o si el alma que se le había fugado por la boca le disculpaba de cualquier otro sentimiento. Lo que sí repetía con precisión matemática era la angustia con la que movía un pie tras otro, la oscuridad de la noche y la imagen de mi padre muerto rondándole el sueño, hasta que no le quedó más remedio que regresarse del limbo en el que se hallaba y saltar a la calle en busca de su hombre.

Mi madre fue una mujer cabal que no se dejó llevar nunca por nada que no pudiera ver ni tocar. Y si además podía oler de lo que estaba hablando, ella misma daba su juicio por bueno bajo cualquier circunstancia.

La fortuna quiso que aquellas tres condiciones se conjuraran en la persona de mi padre, y como le vio, y le olió, y no tardó demasiado en tocarlo, no le quedó más remedio que reconocer ante lo que se hallaba: así fue como se enamoró de él, aunque nunca me contó cómo el amor inicial se convirtió en la pasión en la que terminó por consumirse; quizá la muerte de mi padre, apenas ocho meses después de su precipitada boda, le hizo atravesar el estrecho límite entre el amor y la locura, quién sabe. Lo cierto es que aquella noche su marido vino a advertirle en sueños que se estaba muriendo, y ella reconoció el olor y el tacto dentro de su sueño; por eso salió a la calle con una diabólica luna llena reinando en el cielo y la locura rondando detrás de sus pasos.

La noche era fría y el miedo era inmenso cuando se topó con el asesino. Le había visto casi todos los días de su vida, y nunca había sido capaz de sospechar que un solo golpe de su brazo sería suficiente para obligarla a entrar en el mundo de oscuridad del que tardaría años en poder salir. Pero los sucesos más trascendentales de la vida no suelen advertir de su calibre, y eso mismo ocurrió aquella noche de fantasmal luna llena. Ella no se fijó en sus ojos almendrados, ni en sus pestañas inmensas, ni en la fuerza de sus manos, ni en la gracia de su caminar. Ella sólo pudo ver en el brillo de sus ojos que era aquél el asesino, y el dolor de la certeza la partió por la mitad. Y de entre todos los dolores que le rompieron el alma no fue capaz de distinguir el que le avisaba de mi adelantada presencia; se dejó vencer al suelo, y en el suelo se tendió a esperar la muerte, pero el instinto se encargó del resto. En aquel momento lo que más deseaba mi madre era morir, así que está de más decir que mi nacimiento le vino sobrado.

Yo nací ayudada por el verdugo de mi padre, al que más tarde supe que asesinó por una pendencia del juego, y que no llegó a pagar la culpa nunca porque entre los hombres de entonces la vida valía lo mismo que la palabra. Yo nací atraída por su mano, y alumbrada por una luna que, como es lógico suponer, se empeñaba en no aceptar las normas. No tengo memoria para recordar de dónde me viene mi primer recuerdo, pero sé que, si pudiera, volvería a ver sus ojos asombrados por el rojo de mi piel recién nacida. Volvería a ver su cara espantada por mi llanto y volvería a confundir mi sangre viva con la sangre de mi padre muerto en la palma de su mano. Así lo he recordado siempre, en cada uno de los días de mi larguísima vida: mi cuerpo pequeño entre sus brazos inmensos, su mirada prendida en la mía, mi destino ligado al suyo, con un nudo tan fuerte que nadie en este mundo ha sido capaz de desatar. Mi primer llanto fue por su causa, y no he dejado de atribuirle la responsabilidad de cada lágrima que he derramado, porque su mirada fue la primera que vi, y crecí con la certeza absoluta de que sería también la última que yo vería en mi vida. Sólo al final de mis días he podido comprender la magnitud de mi error.

Nunca conocí a mi padre, así que difícilmente hubiera podido guardarle rencor a su asesino. Es más, para mí, mi padre no era otra cosa que el culpable del estado en que se hallaba mi madre: los ojos reluciendo con el brillo de una pena perpetua y el aliento cruzado con el sabor amargo de un ay inmenso que se le colaba dentro en cuanto el sol comenzaba a clarear, y que cuando llegaba el crepúsculo, se empeñaba en mantenerse bien aferrado al fondo de su garganta. Sé que siempre tuvo frío, y que parte de esa destemplanza me la contagió con una falta de abrazos que tal vez nos hubieran dado calor a las dos. El caso es que ella jamás dejó de tener frío cada día de los años que vivió; el fuego de la casa siempre estuvo prendido, y cuando alguien sentía la necesidad de buscarla, no tenía más que acercarse al calor de una buena hoguera para encontrarla.

No conoció a otro hombre en su vida, y la muerte la sorprendió esperando a que él volviera, para cumplir la promesa con la que se despidió de ella.

—Vuelvo en lo que dura un suspiro —dijo, después de besarla en la boca y dejarle un regusto amargo en los labios que ella no identificó.

Y mi madre le creyó, porque no le quedaba más remedio, y también porque él siempre cumplía su palabra. Sólo una vez la faltó, y la vida le sirvió para pagar aquel olvido.

Le esperó despierta en la cama sin fijarse en las horas que pasaban y sin dejar que su boca anticipase un suspiro. Para entretener la espera, reconstruyó el cuerpo de su marido: le recontó las costillas, jugueteó con el vello de sus piernas y se entretuvo viendo crecer el sexo enorme con el que unos meses antes me habían engendrado. Bien sabía Dios cuánto bendecían ambos mi llegada al mundo, pero en sus oraciones evitaban recordar el disgusto de no poder llenar las cavidades del uno con los espacios del otro, y de derramar en el gesto los sonidos y sustancias del placer de los dos. Durante un tiempo, mantuvieron ininterrumpidamente una actividad frenética en la que no existía hueco por el que no se colasen, ni vergüenza, ni el más mínimo temor por el hijo que mi madre llevaba en las entrañas, pero el tiempo y el volumen que yo iba ganándole dentro se encargaron de poner freno a aquella carrera sin tregua, y la francachela a la que estaban acostumbrados quedó reducida a juegos de besos y caricias que, aunque satisfactorios, no les hacían olvidar aquellos antiguos festines. Así ocurría cada noche, y así había ocurrido un instante antes de que él recordase una deuda pendiente y saliese de la cama dispuesto a pagarla.

Miró a su mujer, todavía con las mejillas encendidas por la pasión compartida. Se fijó en sus ojos, abiertos e inmensos, negros y brillantes —entonces por un brillo distinto al que yo le conocí—, y sintió ganas de llorar, como si la vida le quedase grande, malherido de pronto por su belleza.

Se acercó a besarla y tragó saliva.

—Vuelvo en lo que dura un suspiro —le dijo, reprimiendo el llanto, y salió de la casa para no volver.

Ernesto Placeres mató a mi padre por una deuda en el juego, ya he adelantado el motivo. Dos noches antes, mi padre bebió más de lo aconsejable y apostó más de lo que tenía. El reto era muy simple: él era el hombre más fuerte del mundo, y no había nadie capaz de tumbar su brazo sobre la mesa de la taberna. La fuerza de mi padre era más que dudosa, pero Ernesto Placeres, joven entonces y también borracho, aceptó el envite. En un suspiro, el brazo de mi padre yacía estampado sobre la madera de la mesa; apuró su trago y recompuso su orgullo, más magullado que el brazo perdedor.

—Mañana pagaré mi deuda —dijo, sin darse cuenta de que nunca convencería a mi madre de que abandonara la casa y se la cediera al joven Placeres.

No hubo caso: ni lo intentó. A las pocas horas había olvidado la apuesta, la deuda y la humillación de la derrota, y el único recuerdo que le quedaba de la noche anterior era un molesto ardor de estómago y una moradura en el antebrazo que mi madre le descubrió la última noche que pasaron juntos, en el transcurso de una ardorosa inspección del cuerpo de su amado. Fue entonces cuando mi padre recordó, y salió de la cama dispuesto a hacerse perdonar.

Ernesto Placeres hubiera sido indulgente con la deuda, pero no quiso olvidar la ofensa de verse esperando toda la noche en la misma mesa de su gloriosa victoria. Allí mismo permanecía, inmóvil y desafiante, cuando Irineo dos Santos llegó la segunda noche de espera para zanjar el asunto. Nadie supo nunca de qué hablaron, ni qué pasó por la cabeza del asesino para matar a mi padre. Probablemente no tenía intención de hacerlo, pero por segunda vez Ernesto Placeres fue incapaz de medir la fuerza de su brazo ni el furor de su enojo, y en menos de un suspiro —más rápido aún que la primera vez—, el brazo de mi padre quedó vencido, esta vez en el suelo del local, y acompañado en la derrota por su cuerpo entero, quieto y muerto; la mirada sorprendida, el cuello quebrado, el corazón detenido y el alma dispuesta para avisar a su mujer. «Vuelvo en lo que dura un suspiro», le había dicho, y de nuevo faltó involuntariamente a su palabra.

Ella le esperó hasta que el sueño ganó la partida, y durmió profundamente, con la boca bien cerrada para no suspirar; tal vez lo hizo mientras dormía, y por eso él se presentó a su vera con la muerte prendida y caliente todavía en las manos. La miró en silencio, callado la avisó de que estaba muerto, y sin ruido ella despertó del sueño para dejarse caer en una pesadilla. Poco le importó que alguien pusiera mi cuerpo en sus manos, cuando aquel a quien había visto, y olido y tocado hasta confundirse con su tacto y con su olor, se alejaba de ella de forma irremediable. El dolor la incapacitó para cualquier otro sentimiento, incluido el odio y el menor rencor. Era joven y era bella, pero se pintó de negro para desaparecer: primero se le fue perdiendo el alma, y al cuerpo no le quedó más remedio que seguir viviendo vacío.

Con aquellos precedentes, cualquier otra en mi lugar hubiera procurado mantenerse lejos de un sentimiento parecido, pero yo fui consciente desde bien pequeña de que no hay nada capaz de torcer el destino cuando viene marcado: yo nací una noche de luna rebelde, y la primera luz que hirió mis ojos fue la mirada del hombre de mi vida. Sus brazos me acunaron y su calor me revivió, motivos más que suficientes para amarle sin remedio hasta el mismo día de mi muerte.

**M**E LLAMO RAQUEL POR PROPIA ELECCIÓN. ANTES me he llamado Carmen, Julia, Eva, Esperanza, Cristina, María, y cualquier otro nombre que saliera de su boca al cruzarme con él, pero decidí plantarme en éste cuando le nació su primera hija y la llamó así. Yo tenía doce años, él le puso por nombre Raquel, y yo lo hice mío en ese instante y para siempre, dispuesta a poner fin al trajinar de mi propio nombre.

—Me llamo Raquel dos Santos —anuncié a mi madre cuando llegué a casa con la noticia del parto en casa de los Placeres.

—Ya te he dicho que puedes llamarte como quieras —respondió ella sin apartarse del fuego.

Era cierto. Desde que tenía uso de razón nunca me había extrañado no encontrar una forma con la que llamarme. Crecí en la creencia de que nadie tenía nombre, qué se le iba a hacer, como también pensaba que era habitual andar siempre helada, llorar sin motivo, y dormir girada hacia la pared emitiendo pequeños gemidos que la edad me ayudó a identificar. Pero ése es otro cuento.

No sé cuántos años acababa de cumplir cuando caí en la cuenta de que realmente era la única que carecía de nombre. «Niña», «chiquilla», «eh, tú», «guapa» y «oye» dejaron de parecerme normales, o al menos no tan normales como los nombres que tenían las demás, y que por supuesto hice míos, con permiso de mi madre, cuando se los reclamé.

—¿Yo no tengo ningún nombre? —le pregunté, una vez junto a las brasas.

Ella —de quien hasta ese momento tampoco sabía que se llamara de forma alguna— me miró sin verme, ignorando mi pregunta. Se alisó las arrugas del delantal y se tomó su tiempo para sacarse la suciedad de las uñas con la astilla de una rama calcinada. Cuando había perdido la esperanza y la paciencia esperando su respuesta, tomó aire muy despacio, tiritó de frío y me reveló el primer y único secreto que compartimos:

—Yo me llamo Paula Expósito. Tu padre se llamaba Irineo dos Santos. Como ves, los dos procedemos de familias parecidas: nuestros padres nos abandonaron al nacer, y acabamos en este pueblo de pura casualidad —me dijo, y tras un breve silencio añadió a su revelación—. Déjame que te diga que la vida es una mierda, enorme y apestosa, así que te doy mi permiso para que tú misma te llames con el nombre que mejor te parezca, e inventes el pasado que más te convenga para escapar del que te ha tocado en suerte.

Yo la miré sorprendida, impactada de igual forma por el regalo y por la revelación. De esta última confidencia, que la vida era una mierda enorme y apestosa, ya había podido hacerme una pequeña idea; no había más que contemplar la peculiar familia que formábamos las dos, sin apenas nada que llevarnos a la boca y, para corresponder, sin dejar que tampoco saliese casi nada de ella, porque mi madre hablaba poco para acallar su pena. En silencio y en miseria transcurrían nuestros días. Ha pasado mucho tiempo de esto, y más teniendo en cuenta que me moriré de vieja, pero todavía soy capaz de sentir en el estómago el arañazo del hambre, y aún me abrigo con una manta de más para protegerme del frío de aquellos años ingratos en los que sobrevivimos arañando el campo, robando en los árboles, cosiendo, limpiando y estirando la comida y los ahorros hasta convertirnos en auténticas expertas en todas aquellas tareas. A los siete años había entrado en las mejores casas de Ojos Verdes para limpiarles el suelo, a los ocho era capaz de coser un vestido entero, y a los diez podía cocinar los mejores platos que hayan ustedes probado nunca. Creo que fue por aquella actividad frenética que nunca enfermé y apenas crecí, sólo por falta de tiempo; trabajábamos tanto que muchas madrugadas nos sorprendían dormidas, recostadas sobre la mesa de la cocina. Mi madre imaginaba el regreso de su marido; yo soñaba con su asesino.

Llegados a este punto, he de advertir que aquel regalo de mi madre, el que me permitía bautizar a mi gusto cualquier cosa que se presentase ante mis ojos, tuvo el efecto inmediato de multiplicar mi fantasía. No sólo cambié nombres, sino que inventé un pasado para nuestras vidas, y así animales y dinero terminaron procediendo de un abuelo inmensamente rico, que nunca perdonó a su única hija que se marchase con un hombre de nombre ridículo y destino breve que la dejó viuda y madre antes de cumplir los veinte años.

A mi abuelo lo bauticé Adelfo Trigo, y como castigo a su falta de sentimientos, jamás volvió a ver a su única hija. Lo supuse arrepentido, y por eso se encargó de que a ella no le faltase nunca lo mínimo para subsistir, porque no por enojado era una mala persona. Años después conocí a un anciano que se llamaba José

Alfredo Trigo. Como les he adelantado, no creo en las casualidades, así que le perdoné el nombre, le encumbré el apellido y lo adopté como abuelo: me casé con el que supuse su nieto, y lo cuidé hasta que murió, por saldar las deudas con el destino y por auténtico amor. Pero cuando inventé este pasado no tenía ni idea de que la vida toma en ocasiones las formas que nosotros mismos les damos, algo que he aprendido con paciencia, a lo largo de mi vida. Entonces tampoco sospechaba que éste sería el argumento de casi todos los novelones de radio y de televisión, ni que al oírlos o verlos años después yo sentiría que me habían robado el pasado. Es más, no tenía ni la menor idea de que un día todos tendríamos un aparato de aquéllos en nuestro cuarto, ni que yo misma me encontraría sola y abrigando mi frío con el televisor, como si no fuera más que una copia moderna de mi madre. Qué iba yo a saber.

QUISE LLAMARME Raquel dos Santos Expósito, como ya saben todos ustedes, y con ese nombre he vivido muchos años, tal vez demasiados, porque siempre los viví en silencio. Ahora que no me queda más remedio que estar callada para siempre, y que no puedo dejar de escuchar las voces de otros tiempos, de todos los tiempos, me doy cuenta de que me he pasado la vida hablando sin decir nada. No me he cansado nunca de hablar, pero mi silencio ha tenido significado, porque nunca he sido capaz de decir lo que más dentro llevaba. Sé que no soy la única que se ha visto en este trance, pero eso no me sirve de consuelo: así son las cosas.

He vivido una vida larga, inacabable. Por mí, me hubiera muerto hace muchos años, el día en que se murieron mis ilusiones, pero los destinos humanos suelen terminar enredándose; se lo digo porque lo sé bien: yo misma me he pasado la vida esperando a que se acabara de cumplir el mío.

A mí me fue dado vivir una vida dilatada y bulliciosa, y en apariencia feliz, pero déjenme decirles que no he sido más que una pobre desgraciada que no ha hecho otra cosa más que vivir al amparo de una tremenda obsesión. Y sin decírselo a nadie, que es ahora lo que más me duele: no se lo conté a nadie porque no quise, ni lo puse por escrito porque tampoco sabía escribir. Tan atareada había estado limpiando escaleras, zurciendo vestidos y escudriñando algo que llevarnos a la boca que apenas frecuenté la escuela.

En realidad, no aprendí a escribir hasta pasados los veinte. Me enseñó mi marido, que a pesar de ser varón incumplió el vaticinio de mi madre:

—Ningún hombre te enseñará nada bueno —me dijo, enlutada y fría, cuando le hice saber que iba a casarme.

Él era un hombre, no había más que verlo, pero aun así confié en que mi madre anduviera en un error, y me dispuse a aprender cuanto pudiera enseñarme, con el único e inconfesable propósito de estar a la altura de Ernesto Placeres cuando finalmente reparase en mí. Hacía ya mucho tiempo que el amor de mi vida estaba casado, y yo había pasado todos esos años consumiéndome de celos y de angustia, especialmente por las noches, podrán hacerse una idea.

Al principio no le di importancia al hecho de que fuera un hombre casado; es más, yo le había conocido así, y tenía la certeza de que se trataba de un estado natural. Aquéllos eran otros tiempos, pueden figurárselo, y nadie se había detenido a explicarme cuál era el papel de una esposa, de tal manera que el único esfuerzo de los primeros años de mi gran amor se tradujo en verle sin ser vista, para luego irme a la cama con la satisfacción de haber sido testigo de cómo caminaba mi hombre, altivo y provocador, como siempre, de cómo se peinaba con la mano los rizos oscuros de su cabello, de cómo miraba hacia abajo al resto del mundo, que para eso era Ernesto Placeres el hombre más alto que he conocido.

La misión resultaba siempre fácil; cada día podía contemplarle rondando por la plaza en espera de clientes. No vayan a pensar mal: era pintor, una profesión poco exitosa en aquellos años, pero de enorme futuro, tal como mi hombre intuyó y como la historia ha demostrado. Con el tiempo, incluso se hizo imprimir tarjetas con su nombre, rango y habilidades: «Ernesto Placeres, pintor, rotulista y decorador», decían. Pero no adelantemos acontecimientos.

Les decía que nadie me había explicado nunca qué era en realidad una esposa. Lo averigüé por mí misma, una noche en que los gemidos sordos de mi madre fría me habían desvelado más de lo habitual. Dormir era imposible y hacía calor; apenas recuerdo otra cosa. Hacía calor y yo empecé a sentir que el sudor me abría un agujero en medio del pecho, justo donde suponía que se alojaba el corazón.

Me asfixiaba un calor sofocante, tan sofocante que salí de la cama sin hacer ruido, amortiguados mis pasos por la humedad que envolvía la noche, y como no sabía adónde ir y la necesidad guiaba mi camino, de repente me hallé ante la puerta de su casa.

Ya he dicho que hacía calor. Por eso su ventana estaba abierta y no tuve dificultad para escuchar su voz. La llamaba a ella, le decía: «Ven, mi amor». Así que yo también me acerqué. En una esquina del cuarto dormían sus dos hijos: Raquel, la que me prestó su nombre, y Ernesto, que lo heredó de su padre, pero Ernesto Placeres y su mujer parecían haberse olvidado de la presencia de los niños. Ella estaba desnuda, y su cuerpo parecía haber resucitado de algún lugar escondido, lejos de la ropa oscura que la convertía a diario en una mujer como el resto de las mujeres, porque él aquella noche no la miraba como a las demás. Acercó su mano al costado de ella, sin dejar de mirarla, y despacio la acarició como si la noche fuese a durar eternamente. La tocó sin prisa, y cuando ya no quedó un palmo de piel que él no hubiera acariciado, la recorrió con la boca, lamiendo y mordiendo, para que a ella no le cupiese duda alguna de que era todo su cuerpo lo único que podría satisfacerle. La besó en la boca, e imaginé que entrelazaban sus lenguas. Entonces fue ella la que tomó las riendas de la situación: montó sobre él, se abrió para él, le inventó palabras y le regaló más besos de los que yo hubiese podido contar. «Ay, Carmen», repetía él, y ella se reía, con una risa que yo misma he tratado de imitar hasta el día de mi muerte. Ella multiplicó sus manos, y para corresponder a ese generoso gesto, él hizo crecer su cuerpo de manera prodigiosa, hasta que juntos se introdujeron el uno en el otro, primero despacio y luego con urgencia, cada vez más deprisa, como si intentasen derribar una barrera invisible que les estuviera separando por dentro.

Cuando él se dejó caer sobre ella, yo identifiqué los gemidos de mi madre al escucharlos salir de mi boca, y reparé entonces en mis propias caricias, en la humedad de mi cuerpo, tan húmedo de pronto como la bochornosa noche que me envolvía, en el hueco inmenso por el que se me colaba la vida. Nunca me amaría, lo supe entonces, y esa certeza se convirtió desde ese momento en el peor de los daños que me han herido el alma; pero él era el que me había traído a este mundo, el primero, el único, el que yo había elegido: él era mi hombre. Para eso no había remedio.

Yo tenía diecisiete años, pensaba que la vida era larga y confiaba en los destinos marcados como los

28

nuestros, aunque él no lo supiera. Yo era joven —me decía—, en cualquier caso viviría más que ella, y por fuerza terminaría por amarme él a mí como yo le amaba a él. Me repetí esas argumentaciones cientos de veces, miles y miles de veces, pero aun así tardé tres años en dejar de llorar por su mirada de aquella noche: no interrumpí mi llanto hasta el día en que me casé.

SE LLAMABA AMADO, AMADO SANTIAGO PLACERES Castro, y era sobrino de Ernesto Placeres por parte de padre, como habrán podido suponer, aunque no me casé con él únicamente por su parentesco. Me casé con Amado Santiago porque me gustaba él y me gustaba su nombre, y porque tuve la sensación de que para no mentirle me bastaría con nombrarle. Pero también me casé con él porque lo deseé como nunca hubiera imaginado que podría desear a otro hombre que no fuera Ernesto Placeres, y porque presentí que a su lado aquella espera sería más grata. Más tarde, un motivo inesperado me llevó a felicitarme por aquella decisión: nunca nadie me iba a querer como me quería Amado Santiago Placeres Castro; lo supe al poco de casarnos, y la vida luego me ha dado la razón. He tenido tres maridos, tres hijos y un gran amor, y en ninguno de ellos —en ninguno, quién lo diría—, he vuelto a ver la mirada de absoluta adoración que encendía los ojos de mi primer marido cuando me arrancó, y no exagero, el vestido de bodas.

Amado y yo nos conocimos de pequeños. Fue el único que se aprendió de memoria todos los nombres que yo iba adquiriendo y que fingía no sorprenderse cuando le traía uno nuevo; se acostumbró a seguirme en los juegos, y puede que esa costumbre le llevara a quedarse en el mismo lugar para el resto de su vida. No sé. No recuerdo ni un momento en que mi Amado no estuviera conmigo, y sólo con la distancia de los años he podido ver cómo fue cambiando al mismo tiempo que yo, sin prisas y sin darnos cuenta. Amado Santiago Placeres Castro había nacido unos días antes que yo. A él le atendió una partera y su madre se murió del susto. Dicen que Amado Santiago fue el niño más feo nacido de madre humana, y la suya debió de pensar lo mismo cuando se lo colocaron encima del pecho. Nada más verlo, se llevó una mano al corazón y se apresuró a taparse la boca con la otra. Cerró los ojos, hizo una mueca y se marchó al otro barrio sin darle ninguna oportunidad al hijo de demostrar su condición de persona.

Lo cierto era que el niño había permanecido casi diez meses en el vientre materno, convencido en su inocencia de que no había nada que reclamase su atención fuera del tierno calor que le brindaba su madre, y para cuando se decidió a nacer, ella ya estaba agotada. El tiempo de la espera fue el causante del color oscuro de su piel y del vello que cubría la mayor parte de su cuerpo; por lo demás, todo se hallaba en su sitio: dos manos, veinte dedos, una cabeza, y ninguna cola de demonio que atestiguase su esencia diabólica. Pero la condena popular había sido dictada. Así fue como el niño asesino y la niña del asesinado terminamos compartiendo la misma madre de leche, porque a la mía se le cortó la suya al saberse madre y viuda al mismo tiempo y de la noche a la mañana.

Amado y yo empezamos con mal pie, peleándonos sin tregua por el pezón más jugoso de nuestra aya, en una pelea que seguimos manteniendo hasta que el fin de la lucha era más placentero e igual de necesario que en aquellos tiempos. Más tarde, cuando nos salieron dientes, los afilamos cada uno en el cuerpo del otro, una costumbre que seguimos ejercitando hasta que una razón de fuerza mayor nos obligó a dejar de hacerlo, ya les contaré. A los pocos días de nacer, cuando su madre acababa de ser enterrada y su padre había tomado la decisión de desentenderse del hijo, Amado adquirió el color de los demás niños, perdió pelo, y comenzó a llorar de hambre. Buscaron una madre de leche para él, y así nos conocimos: llorando, él más que yo, todo hay que decirlo, y puede que eso también marcase nuestra relación posterior.

Al poco de nacer Amado Santiago se volvió un niño normal, pero el tiempo, tal vez para compensar el error inicial, le convirtió en un hombre fuera de lo común. Ojalá pudieran verle. Yo tardé años en darme cuenta, y me vine a tropezar de lleno con la realidad una mañana lluviosa de principios de primavera. Fue como si hasta entonces no le hubiera conocido, como si por primera vez tuviese enfrente al hombre más apuesto que hubiera visto nunca: negros los ojos, ancha la espalda, firmes los brazos. Nunca me había fijado en su cabello, oscuro y corto, ni en el cuello fuerte, ni en el pecho viril, y no podrían imaginar cuánto me impresionaron sus dedos cortos y afilados, coronados por unas uñas romas y limpias, desconocedora de hasta dónde serían capaces de hurgar en mi interior; ni podrían sospechar, como yo fui incapaz de hacerlo, el efecto que produjeron de pronto en mí sus labios carnosos, dónde habían estado mis ojos hasta ese día, pero dónde, me preguntaba una y otra vez. No me enamoré de Amado

Santiago entonces. No me enamoré nunca de él, pero le agradeceré toda la vida que despertase aquel día mi espíritu y mis sentidos, que habían estado dormidos desde el mismo día en que vine a nacer.

Amado Santiago convirtió aquella mañana en un día de fiesta: llegó a mi casa con el sombrero en la mano y la chaqueta encajada en los hombros. Llevaba una camisa inmaculadamente blanca, el traje era oscuro y nuevo, y supuse que había debido de ahorrar durante meses hasta conseguir el dinero necesario para comprarlo. Hubiera querido decirle que había valido la pena: nada que ver con Ernesto Placeres, no hay ni que mencionarlo, pero aún así no pude evitar contener la respiración cuando le abrí la puerta y me invitó a salir fuera. Todavía recuerdo la primera impresión: la camisa almidonada, el chaleco negro, los pantalones planchados y los zapatos brillantes; a juego con la camisa, un pequeño pañuelo asomaba por el bolsillo de la chaqueta, y cruzando el pecho, la cadena de un reloj de oro —a saber de quién lo habría heredado, mi pobre Amado Santiago—, que más tarde yo misma tuve que empeñar para sobrevivir después de que me dejara viuda.

Me invitó a salir, y la voz le temblaba como una hoja; quizá para templarla hablaba sin parar, despacio, en voz baja, como confiándome un secreto, pero yo no podía mantener fija mi atención. Bastante tenía con contener el deseo de acariciar sus brazos, de recorrer su cuerpo entero con mis manos, desde la cabeza hasta los pies, de arrancarle todos los botones que amarraban su chaleco, de hacerle callar tapando su boca con la mía, de pedirle que me llevase lejos de allí, que me ayudase a escapar de mí misma, aunque en modo alguno hubiera sido capaz de encontrar la fórmula de manifestarle aquel deseo, ignorante como era de la magnitud de mi equivocación.

En medio de aquel terremoto de sentimientos extraños que parecía tener su centro en la mitad de mis bragas, no sé si fue su olor, el negro de los ojos, el moreno de la piel o el tono de su voz al dejar de temblar, pero cuando me preguntó si por ventura querría casarme con él, no encontré ninguna razón que me impidiera hacerlo.

Fue entonces cuando mi madre me advirtió que ningún hombre me traería nada bueno y yo esperé que se hallase en un error: acerté.

Por si llegaba a cambiar de idea, la ceremonia se celebró sólo algunas semanas después de aquella mañana lluviosa de primavera, y a pesar de la premura de los acontecimientos disfruté de la mejor boda que hubiera podido imaginar. La casualidad, en la que les he dejado claro que no tengo fe alguna, me regaló uno de esos guiños que facilitan la vida, y me proporcionó el vestido de bodas y el ajuar que mi madre no se había molestado en atesorar para mí.

Unos meses atrás había desaparecido del pueblo la maestra Inés, dejando desconsolada a su madre y a todos los niños que asistían a sus clases improvisadas, impartidas por la maestra en un chamizo de piedras y barro, junto al muro del altar mayor de la iglesia.

La maestra Inés era la joven más bella de todo el contorno, como su madre solía proclamar siempre que tenía ocasión, y en verdad tenía razón. El cutis de Inés era el más fino que se había visto nunca, hasta el punto de que, cuando se enojaba durante las lecciones, las venas de su rostro amenazaban con estallar y salpicar de sangre a los alumnos sentados en los primeros pupitres; pero la maestra Inés no se enfadaba casi nunca, lo que sin duda multiplicaba el atractivo de la muchacha, cinco años mayor que yo y cuarenta veces más hermosa que cualquier hombre o mujer que se le pusiera al lado. Tantos y tan notorios eran los atributos con que la naturaleza había obsequiado a la maestra Inés Berbegal que nadie en el pueblo se sentía defraudado al verla pasear por la plaza: el pelo, rubio y rizado, siempre encerrado en un moño en el nacimiento de la nuca; los ojos, con forma de gota de agua y color de tierra húmeda, entreabiertos con aire de asombro; y el cuello ladeado a la derecha, como para vérselas todas venir. Vestía siempre con ropas claras, faldas largas y camisas amplias que no por holgura ocultaban un par de pechos generosos que con toda seguridad llenaban de imágenes las noches insomnes de sus alumnos más avezados; no iba nunca a misa, mucho menos a la plaza, y jamás utilizaba perfumes, tal vez porque intuía que el olor a animal que escondía dentro de su pecho sería suficiente para alertar a cualquiera que pasara a su vera, como finalmente terminó por suceder.

Aprendió a leer y a escribir a una edad en la que los demás niños se conformaban con gatear entre los excrementos de animales que plagaban las calles de tierra. Y es que entre los dones que le fueron concedidos también se encontraba el del espíritu práctico: por eso se hizo maestra de escuela en contra de la opinión de su madre, que aspiraba a casarla sin otra dote que el disimulo de su inteligencia y el alarde de su belleza excepcional. Pero la maestra Inés era una mujer de ideas propias y no se dejó convencer por ella; al contrario, se tomó tan a pecho la docencia que se impuso la tarea de ilustrar a un pueblo en el que pocas personas sabían leer con soltura y menos aún eran capaces de escribir. Y con esta decisión acabaría conociendo a Lupe Bruna.

Lupe Bruna no tenía ya edad de frecuentar la improvisada escuela junto a la iglesia, pero acudió en busca de Inés Berbegal alertada por una nota de la maestra sobre su hija. En la carta, con caligrafía impecable, la maestra Inés advertía a la madre de la necesidad de que acudiese sin falta al colegio para hablar sobre algunos problemas que hacían temer por la salud mental de la niña. Cuando ésta le entregó la misiva con la mano temblorosa —conocía sobradamente a su madre, huelga decirlo—, Lupe Bruna salió de la cocina como un demonio, sin apagar los fogones y sin limpiarse la sangre de conejo que le chorreaba del delantal.

En contra de lo que cabe suponer, no fue tanto que los comentarios de la maestra Inés sobre su desequilibrada hija llegaran a molestarle, pues Lupe Bruna, como casi todos en el pueblo, era analfabeta en los conocimientos y bruta en los modos. Más bien se le figuró que los estilizados adornos con los que la maestra Inés remataba su caligrafía eran sutiles procedimientos para burlarse de ella, o acaso supuso que el simple hecho de enviar una nota a alguien que no sabía leer constituía por sí mismo suficiente burla. Fuera lo que fuese, al verla llegar, furiosa y ensangrentada, la maestra Inés sufrió un ataque de pánico y se dejó caer al suelo, dispuesta a morir a manos de aquella salvaje iracunda y sucia a la que no había visto en su vida. Porque lo cierto era que Lupe Bruna hacía años que no pisaba la calle, desde que su marido, «el muy hijoputa», la había abandonado, como repetía una y otra vez ante la mirada atónita de la pobre maestra Inés, que no comprendía nada de lo que estaba pasando ni acertaba a predecir lo que en breve le iba a suceder.

Cuando el hombre se fue de la casa, dejándola sin dinero y sin explicación, Lupe Bruna se hizo el firme juramento de no exponerse a las burlas de los demás, y no encontró mejor modo de cumplirlo que no volver a salir a la calle. Mandó llamar a los padres de ambos, y enojados unos, y avergonzados los otros, convinieron en ayudar a Lupe en lo que fuera menester.

—A Lupe y a la niña —dijo ella, con la mirada perdida en el vacío del blanco de la pared.

Lupe Bruna y su marido habían tenido una hija, fruto del amor mientras lo hubo, nacida un año antes y criada en soledad. La llamó Dolores, y nunca utilizó otro nombre para dirigirse a ella, ni de chica ni de grande, ni para lo mucho ni para lo poco.

—¿Por qué no me llama usted Lola, madre? —replicaba la niña, angustiada por el peso de su nombre.

—Porque tu padre fue un hijoputa y no quiero llamarte a engaño —respondía la madre, perpetuamente enfadada.

Lupe Bruna había amado profundamente a su hombre, tanto y tan profundamente que no dejó espacio para el cariño del marido. Él era ambicioso, algo cojo de la pierna derecha y en cierto modo atractivo, sobre todo si se le comparaba con la que sería su mujer. Dicen que accedió a una boda pactada: pasaron a su poder las tierras, los animales y los aperos de labranza, cosas de la vida de entonces. Todo el mundo menos Lupe Bruna supo de aquellas capitulaciones, y a la menor ocasión él abandonó el estado civil sin pesar por la mujer ni remilgos por la hija: nunca las había querido a ninguna de las dos —así lo contaba en las noches de parranda—, y el simple contacto carnal con Lupe le provocaba horas enteras plagadas de pesadillas. Quizá exagerase, o tal vez exageró quien me vino con el cuento. No lo sé, ni tampoco concierne al desenlace de esta historia.

Lupe Bruna vivió en un estado de enfado continuo, y la niña le correspondió con un susto crónico que le hacía imposible mantener control alguno sobre sus músculos, que solían actuar a su libre antojo. Lupe Bruna, con su pelo encrespado y sin brillo, y su bigote negro cruzando la cara, sí había oído hablar de la maestra Inés; es más, la había visto pasar desde su ventana y había admirado desde su escondite la gracia natural que parecía impregnar todos sus movimientos, la manera de coger el paraguas en los días de lluvia y hasta su modo de caminar, con pasos pequeños, como si no tuviera prisa por llegar a ningún sitio. Había visto pasar a la maestra Inés, como les digo, pero nunca había estado cerca de ella, y tal vez fue eso lo que les sucedió: el olor almizclado de una, la pasión desbordada de la otra, el color del cabello, el tono de la piel o el miedo de la voz, qué más da. Nadie hubiera imaginado lo que iba a pasar, y nadie hubiera podido dar explicaciones de lo que pasó, pero cuando Lupe Bruna limpió el dorso de su mano en el delantal ensangrentado y tendió el brazo a la atemorizada maestra para que se alzase del suelo, los destinos de ambas mujeres ya estaban sellados.

La maestra Inés continuó vistiendo de blanco y acudiendo a sus clases sin reglar en la trasera de la iglesia, pero el brillo de sus ojos delataba que algo en su interior se andaba cociendo, a fuego lento y clandestino. Lo mismo le ocurrió a Lupe Bruna, que siguió sin salir a la calle, pero que comenzó a asomarse a la parte posterior de la casa, junto al corral y frente a la inmensidad de las afueras del pueblo, donde nadie hubiera podido verlas nunca. Nadie excepto alguien obligado a compartir el cuarto con una madre aficionada a las prácticas onanistas y a los gemidos entrecortados. Podrán imaginarse quién era.

Agazapada en la oscuridad, asistí al cortejo de la maestra Inés Berbegal y la abandonada Lupe Bruna, y pude ver cómo renacían de algún lugar invisible al ojo humano, y cómo mudaban la piel para convertirse en la más bella mujer para su amante. Entre ellas no existían barreras, y cualquier impedimento que estorbase acababa pronto en la ladera del monte: las faldas, las medias, las camisas, se entrelazaban igual que sus manos, ansiosas por encontrar en el cuerpo de la otra el punto exacto de su placer. Se amaban sin prisas y sin vergüenzas, sin cuestionarse en modo alguno si su amor sería aceptado por cualquiera que no fueran ellas dos. Se amaban con tal maestría y naturalidad que yo misma terminé por entender como natural un amor de tal índole; después pasaban horas desnudas, desafiando al frío o al calor, acariciando los cuerpos que las dos conocían tan perfectamente como si fueran los propios.

Una mañana la maestra Inés no acudió a impartir las clases, ni tampoco la niña Dolores, tartamuda y meona, decidió ir a la escuela. Pocos días más tarde, la noticia de la desaparición de Lupe Bruna y de su hija Dolores corrió como la pólvora entre las gentes del pueblo, pero nadie fue capaz de relacionar la huida de dos mujeres que nada tenían que ver, y que no habían cruzado una palabra en público en toda su vida.

Yo me casaba unos meses más tarde, y no tuve otra ocurrencia que acudir a casa de la maestra para interesarme por su ajuar. La madre me lo enseñó con deleite: sabanas de hilo y de batista, toallas de lino y de algodón, cortinas de encaje, colchas de ganchillo, un trabajo primoroso guardado durante años en un baúl forrado con enganches negros, reservado para unos ojos que sólo fueron capaces de brillar por los de otra mujer a la que aventajaba en belleza y lozanía. Cosas de la vida.

—Perdone que se lo diga de esta manera, señora, pero, ¿tiene usted idea de si regresará su hija? —le pregunté luego, con la mejor educación de la que fui capaz.

Ella negó con la cabeza y rompió a llorar, ignoraba yo entonces si por alguna nota que le había dejado su hija o porque el amor que ésta sentía era demasiado grande para quedar escondido en su propia casa, y la madre había terminado por descubrirlo también.

—Me pregunto entonces si me vendería su ajuar. Me caso en unos meses. Tengo dinero ahorrado, pero mi madre nunca se tomó en serio que yo me casaría. Se lo digo en confianza, como madre que usted es también —dije.

Se levantó del diván, el único que existía en todo el pueblo —un capricho pretencioso, en mi opinión, qué quieren que les diga—, salió del cuarto y regresó arrastrando el enorme baúl en el que antes me había mostrado el tesoro con el que pensaba casar a la maestra Inés.

—Quédatelo. Quédatelo —repitió—. Te lo regalo. A nosotras ya no nos servirá de nada.

Siguió llorando cuando me fui, y todavía tenía un rastro de lágrimas en su cara cuando la encontraron muerta, dos días más tarde, con una carta hecha añicos sobre sus faldas en la que se reconocía la adornada letra de la maestra Inés. Así fue como el ajuar de la mujer más bella del pueblo —puede que la más bella del mundo, tal como yo la recuerdo en sus noches de amor prodigioso—, terminó adornando mi casa. Años más tarde pude agradecerles todo lo que habían hecho por mí, sin ni siquiera saberlo. Les agradecí el ajuar y les agradecí el modo con que me habían demostrado que el amor todo lo puede. Pero ése también es otro cuento.

Pero volvamos a mi boda, justo en el punto donde había interrumpido el relato. Todo el mundo acudió a la fiesta, y cuando digo todo el mundo, es la verdad. Ernesto Placeres, acompañado de su mujer y sus tres hijos, pues ya eran tres entonces, ocupó un lugar discreto al fondo de la mesa, detrás de las sobras de la comida y de los pasteles. Jugó con los niños, fue cariñoso con su mujer y complaciente con la de su sobrino, en parte por obligación hacia él y en parte también por hacerse perdonar el crimen cometido diecinueve años atrás, empeño inútil en cualquier caso: mi madre no había de perdonarle hasta el día en que muriera, y yo había decidido hacía años, casi los mismos que tenía, que no había nada que perdonar. Por eso acepté su mano cuando le pidió a su sobrino permiso para un baile, y bailé con él, y aprendí de memoria la copla que el improvisado cantante de orquesta conseguía a duras penas entonar. Ernesto Placeres cantaba también en voz baja, y no me dirigió la palabra en el tiempo que duró el baile, pero sus labios me susurraban que hasta la sangre le dolía de quererme, y murmurando me juraron lo que escrito estaba en su bandera: *te he de querer mientras viva, compañera mientras viva, y hasta después que me muera.* En silencio, como él, bailé amarrada por su abrazo repitiendo en mi mente la copla que cantaba sólo para mí, como si nadie, incluidos su mujer y mi marido, estuvieran en la fiesta.

—*Por mi salud yo te juro que eres para mí lo primero* —le contesté, mirando fijamente a Ernesto Placeres, cuando me hube aprendido por fin la canción.

Él sonrió, y como respuesta deslizó la palma de la mano desde mi cintura hasta mi espalda.

—*Y me duele hasta la sangre* —canté, al mismo tiempo que él.

—*De lo mucho que te quiero* —concluyó Ernesto Placeres.

Yo también moví mi mano. Acaricié su espalda despacio, conté sus costillas y acerqué mi cara a su cuello para llenarme de todo su olor. Digna hija de mi madre, después de tocarle y de olerle me llegó la confirmación: efectivamente, Ernesto Placeres era el hombre de mi vida, por si antes me había cabido la más mínima duda.

Después de aquella boda me casé dos veces más, pero debe de ser cierto que nunca es lo mismo que la primera vez. Quizá por una inconfesable sensación de fatalidad, y por el baile en el que me declaré con versos de copla sin que él se diera por enterado, y que les acabo de relatar, guardo de mi primer matrimonio un recuerdo tan especial. Y porque en aquel baile tuve al mismo tiempo la evidencia de un encuentro y de una pérdida. Al concluir la canción,

Amado Santiago llegó a nuestro lado y le reclamó a mi amor que le devolviera la que ya era su mujer: nunca, en toda mi vida —y como les he dicho, ha sido una vida muy larga—, he vuelto a estar tan cerca de Ernesto Placeres. Puede que eso tampoco se lo perdonase a ninguno de mis maridos. Cuando el último de los invitados se marchó del corral en el que se celebró la fiesta, Amado Santiago me tomó de la mano y me llevó hasta su casa, o mejor dicho, hasta nuestra casa: me cuesta reconocerlo incluso ahora, a pesar de que he pasado allí toda mi vida, hay que ver cómo nos traicionan los deseos incumplidos. Cruzamos el portal el uno al lado del otro, firmes y sin hablar, pero se paró frente al que sería nuestro dormitorio desde esa noche y me alzó en sus brazos para entrar en el cuarto.

Puede que no sea el momento más adecuado, pero déjenme explicarles cómo era la casa de Amado Santiago, que a partir de ese momento también se convirtió en la mía. Hasta la noche anterior, yo había dormido en un jergón duro e incómodo, junto a mi madre, entre cuatro paredes —vamos a dejarlo así— en las que apenas había sitio para nosotras y nuestros sufrimientos, sin luz, sin agua y sin espacio para respirar. De pronto, una casa auténtica era para mí: tenía dos plantas, la de arriba llena de viejos baúles y objetos inservibles que yo hice míos a lo largo de mi vida para suplir mi falta de recuerdos; la puerta de entrada a la vivienda era enorme, para que cupiesen por ella los caballos y los carros, y daba paso a un corredor por el que circulaban animales y personas con la misma frecuencia y familiaridad. A ambos lados del pasillo, los dos dormitorios principales —el nuestro y el de mi suegro que, no sé por qué, no nos dirigió la palabra en todo el tiempo que estuvimos casados—, y a continuación un salón inmenso, con grandes ventanas y una poca luz que provenía del corral, lleno de plantas y de gallinas que mi madre nos regalaba continuamente como muestra de buena voluntad, la pobre. En uno de los laterales del corral se encontraba la cocina con bancos de mármol, fregaderos de piedra y fuegos siempre encendidos, comprenderán mi costumbre. El trajín de la cocina a menudo estaba acompañado por los relinchos de los ocho caballos propiedad de mi Amado Santiago Placeres, heredados de un padre que poco pudo hacer con ellos; les diré por qué, pero para que entendieran esta otra historia habríamos de regresar al sombrío comedor, cuyas paredes estaban todas adornadas por retratos de la madre de mi Amado, muerta del susto después de parirlo, como ya les conté.

ELLA SE HABÍA LLAMADO ADELA CASTRO, AUNQUE ahora ese nombre sólo fuera el de una lápida en el cementerio, y se casó con Constantino Placeres por obligación. Recordarán que en aquella época la palabra no valía más que la vida, y pueden suponer en qué lugar quedaba la voluntad, mucho más si se trataba de la voluntad de una mujer. Así las cosas, la familia de Adela no tuvo inconveniente en ceder a la muchacha para esposa del que después se convertiría en mi suegro. Él no era rico, ni mucho menos, pero los padres de Adela Castro habían perdido cualquier esperanza de hacer una buena boda con ella, a la que consideraban algo retrasada por sus costumbres espartanas y sus incomprensibles manías: hablaba en susurros, apenas comía, era evidente que entre sus hábitos no se hallaba el de dormir, y su mirada azul y agachada denotaba su espíritu servil, por no mencionar su intención de hacerse monja. Adela Castro, además, era fea de solemnidad, aunque los esbozos dibujados por su marido durante su matrimonio y colgados por riguroso orden de creación en la pared del salón se empeñasen en demostrar lo contrario. No levantaba más de metro y medio del suelo, y decían que por un mala caída al poco de nacer, sus ojos eran capaces de ver dos puntos cardinales en un solo golpe de vista. La salud le fue tan esquiva como su mirada desde bien pequeña, y en su cuerpo menudo se instalaron todas las enfermedades que acertaron a pasar por las inmediaciones, como si su sangre tuviera una suerte de imán que las atrajera: tuvo escarlatina, sufrió fiebres varias, y una pulmonía casi se la llevó a la tumba, por mencionar únicamente las afecciones menos comunes; incluso se fracturó una pierna en una caída que le dejó una secuela más que evidente con el paso de los años, ya que arrastró una visible cojera hasta que murió.

Pero con todo, el amor que despertó en Constantino Placeres fue capaz de pasar por alto los detalles que les acabo de revelar; de hecho, Constantino Placeres puso tal empeño en que se celebrase esa boda que cumplió todos y cada uno de los requisitos impuestos por los padres y por la misma Adela, que elaboró concienzudamente las condiciones del matrimonio con la intención de que Constantino cediese al aburrimiento de esperarla y se olvidase de ella. Se equivocó: la aguardó pacientemente cinco años, durante los cuales fue a visitarla cada noche para sentarse frente a ella en una incómoda silla del comedor, en silencio siempre, tieso como un palo y entretenido en girar lentamente el sombrero entre sus dedos. Demostró su pericia con los animales del campo, y hasta se esmeró en mejorar su dominio de las técnicas agrícolas. Construyó con sus propias manos la casa que más tarde fue mía y llenó de muebles cada uno de sus cuartos; ignoró la vocación religiosa de la joven Adela —ante la que sus padres y todo el pueblo se habían ya rendido por evidente y pertinaz—, y cuando reunió el dinero y la hombría suficientes para hacerlo, se presentó puntual en la puerta de la iglesia, dispuesto a casarse con la mujer de sus sueños.

Adela, callada, obstinada y cumplidora al mismo tiempo, como era ella, se dio por vencida y no puso inconvenientes al matrimonio, pero acudió a la boda con un vestido de diario de color verde botella lleno de manchas y con la cabeza desnuda de cabello, una excentricidad que todo el mundo pasó por alto al observar la mirada de admiración que le dirigió su marido:

—Estás bellísima, más bella que nunca —le dijo con una sonrisa, mientras acercaba la boca a su oído.

Ella no respondió; en silencio enfiló el pasillo de la iglesia y sin ninguna palabra intentó demostrar que se enfrentaba al matrimonio como si se tratase de una penitencia, aunque acabaría por considerarlo un verdadero martirio en cuanto se quedó a solas con su marido sobre el lecho conyugal.

Siguiendo la costumbre de la época, Adela esperó la noche de bodas arrebujada en un camisón de hilo, que las mojas habían bordado con encajes blancos. De encaje también era el estratégico orificio colocado por las religiosas, que a saber de qué manera habrían ideado semejante método de fecundación; pero Adela no contó con el amor que sentía su marido, que durante años había soñado no sólo con la noche de bodas, sino con aquélla y con todas las que vendrían después. Cuando estuvo solo ante Adela Castro, con toda la delicadeza de la que es capaz un hombre con hambre atrasada de años, le quitó despacio la camisa y tomó la mano temblorosa de ella para desnudarse él mismo. Podrán imaginar el espanto de la frustrada novicia cuando descubrió con sus propios ojos estrábicos qué era lo que abultaba debajo del pantalón de él. Todo cuanto Constantino Placeres había soñado para esa noche quedó hecho añicos ante aquella mirada aterrada, pero ni por ésas dejó de amarla como se había acostumbrado a lo largo de aquel tiempo. La quiso mientras la penetraba y le suplicaba en vano que abriera los ojos; la quiso siempre que la pintaba en el corral de la casa que levantó para ella piedra a piedra, más bella y feliz de lo que fue nunca; la quiso en cada momento que trató de conquistarla; la quiso cada vez que tuvo miedo de que se le muriera de cualquier enfermedad real o imaginaria; la quiso cuando el vientre comenzó a hincharse con la presencia de su hijo, y la quiso más que nunca el día en que se murió de la única muerte que ninguno de los dos había previsto. No tardó en odiar al niño que la había matado, y al mundo entero, que se empeñaba en seguir adelante aunque ella ya no estuviera: dejó de hablar y tomó la costumbre de respirar cada vez menos aire, hasta que de aquella economía respiratoria se vino a morir él también, años después, víctima de un enfisema pulmonar y con el alma envenenada de tanto resentimiento.

Como les contaba, Adela Castro reinaba en el comedor después de muerta, mil veces más bella de lo que fue en vida. Con su mirada extraviada vigilaba todos nuestros movimientos, especialmente los míos, que era la que más tiempo pasaba en la casa. Adela me veía trajinar entre los fogones, limpiar el polvo, lavar la ropa, fregar el suelo, esperar a mi Amado Santiago con el alma puesta siempre en Ernesto Placeres; por ese motivo nunca me tuvo ley, y se encargó de llenar mis noches de terribles pesadillas. Ignoro por qué el espíritu de la muerta se empeñó en aquella fijación con mi persona, pero Adela Castro estará siempre a mi vera, hasta que nos hayamos muerto del todo las dos. Al principio su presencia fue más bien sutil: cosas cambiadas de sitio, camas deshechas, guisos con sabor amargo, qué les voy a contar que no hayan oído en las historias de la Noche de Difuntos; pero al poco tiempo Adela Castro comenzó a mostrar su enojo de manera cada vez más visible y personal. Nada de vasos estampados contra el suelo, de muebles con vida propia o de voces de ultratumba murmurando por los rincones: como primera medida, se encargó de que no hubiera una sola noche en la que no me despertase atravesada por el peor de mis miedos. Sólo tenía uno entonces, imagínense cuál era: temía por la salud de Ernesto Placeres más que por la mía propia. Temía su enfermedad porque no sería yo quien le velase estando enfermo, y temía su muerte porque tampoco sería yo quien caminase a su lado al frente del cortejo fúnebre. No vayan a creer que era por afán de protagonismo, era sólo que quería estar a su lado en lo bueno y en lo malo: yo pensaba que en mis manos se hallaban los remedios para todos sus males, que en mi calor abrigaría su frío, que en mi alegría escondería su pena. No sabía que había propósitos para los que la voluntad no era suficiente: creía que mi amor lo podría todo. Ya ven.

Sabedora en sus oscuras artes de mi temor, Adela Castro consiguió que le soñase a Ernesto Placeres más muertes de las humanamente posibles. Murió de muerte natural, de enfermedad, de accidente y de desastre de la naturaleza, sin orden lógico ni motivos aparentes. Ernesto Placeres murió de viejo, de frío, atropellado por un carro y partido en dos por un rayo, y como consecuencia de su muerte me condenaba a vivir en un mundo sin él. Yo no sabía que ése sería el modo en el que terminarían sucediendo las cosas, y despertaba angustiada, empapada en sudor y en lágrimas. Amado

Santiago dormía tranquilo a mi lado, sin sospechar la maldad con la que su madre muerta me trataba en sueños, pero lo peor aún estaba por llegar. Cuando Adela descubrió que me estaba acostumbrando a ese castigo —porque a todo se acostumbra uno y, aunque tarde, terminé acostumbrándome a ese temor—, inventó otro nuevo y definitivo. Nuevo, porque como la palabra indica nunca lo había utilizado en mi contra, y definitivo, porque me ha acompañado hasta la orilla misma de mi propia tumba.

Conocedora también como era de los males del cuerpo y de las dolencias del espíritu, Adela Castro me traspasó los dolores que había sufrido ella misma en vida; es más, no sólo me dejó en herencia los que había sentido, sino también los que más había temido sentir. En pocos meses me convertí en una enferma crónica de cualquier enfermedad y, lo que es peor, tuve miedo a morir antes de ver cumplido mi destino. Podrán suponer que no hay fin peor para una persona que vive su vida con un objetivo tan a largo plazo y tan lejos de su propia mano. Y miren que puse denodado empeño en pasar el tiempo lo mejor posible: cultivé mi buen humor, intenté que la pena no me ganase más que cuando no me quedase más remedio, y procuré darme todos los gustos humanos que el cuerpo me pusiera al alcance; por eso me casé, y por eso al final de mi vida será necesario que me fabriquen un ataúd a la medida, porque en ninguno terminaré de encajar: o me faltará espacio, o me sobrará tamaño. Qué le voy a hacer, si me gustó comer toda la vida. También me gustó reír hasta llegar a las lágrimas, me gustó cantar y me gustó bailar, y me gustó hacer el amor aunque no fuera con mi Ernesto Placeres, pero para ello fue necesario que pasara un tiempo más que prudencial.

Y ahora terminaré de contarles el día de mi boda, no crean que me había olvidado, aunque a veces parezca que se me va la cabeza. Me quedé alzada en los brazos del que ya era mi marido, en el quicio de la puerta de nuestro dormitorio. Amado Santiago me miraba con auténtica adoración, como si fuera la mujer más bella de cuantas había visto en su vida. Puede que lo fuera: Amado Santiago siempre me guardó fidelidad, desde la primera vez que juntos y desnudos saciamos nuestras hambres, el uno al lado del otro, así que probablemente él nunca había puesto sus ojos en mujer alguna, independientemente de la belleza que poseyeran. Temblaba como una hoja agitada por mil vientos y el deseo lo apremiaba, pero temía que aquel momento esperado con paciencia durante años le resultase excesivamente fugaz. Quería quitarme la ropa despacio, que yo le desnudase con suavidad; quería que sus dedos aprendiesen de memoria cada detalle de mi piel, que mi boca aprendiera esa noche a identificar los sabores escondidos en su cuerpo. Amado Santiago había soñado noches enteras que enloquecíamos los dos, enfermos de la pasión que le consumía desde que le alcanzaba la memoria. Todavía ignoro cómo fue capaz de quererme así, y lamento no haber sido yo capaz de amarle de la misma forma, en ninguna de las noches que pudimos compartir, porque aquella primera noche fue el sabor de Ernesto Placeres el que yo busqué en su boca, y fueron las manos de Ernesto Placeres las que nerviosas trataron de soltar cada botón que mantenía preso mi cuerpo bajo el vestido. Sus dedos, los del amor de mi vida, recorrieron inquietos mi espalda, mis brazos, mi cuello, mis labios, y ante la urgencia de los deseos y la resistencia de los botones, de la mano de Ernesto Placeres me fue arrancado el traje que había sido cosido para llevar ante el altar a la maestra Inés.

Mi Amado Santiago tuvo que quitarse la ropa en un rincón del cuarto, mientras yo trataba como podía de tapar la desnudez en la que mi esposo me había dejado; cuando regresó a mi lado, toda la ternura que derrochó en mi cuerpo no fue suficiente para que yo desistiera en mi empeño de encontrar el olor de Ernesto Placeres en el dorso de su mano, en el hueco de su nuca y en el tono de su voz cuando me hablaba, intentando calmarme.

—No tengas miedo —me decía, y yo intentaba escuchar en el tono dulzón de sus palabras la voz embriagadora de Ernesto Placeres.

Amado Santiago era más virgen que yo, porque yo al menos había atestiguado los actos de amor de Ernesto Placeres y de la maestra Inés, pero en unos minutos improvisó caricias y gestos que hubieran podido sanarme de cualquier empecinamiento enfermizo, como acabó ocurriendo al cabo de los meses. Pero no era Ernesto, por más que también se apellidase Placeres. No era Ernesto, y eso no había ninguna caricia que pudiera arreglarlo. Así que cuando mi cuerpo comenzó a responder, y mis pechos se irguieron desafiantes y una palpitación en los riñones amenazó con reventar cada una de mis venas, rompí a llorar como una niña chica. Ignoraba lo que aquello podía significar, pero intuía que era la forma en que mi cuerpo me recordaba que los dos, el cuerpo y yo, podíamos ser felices sin Ernesto Placeres, algo que yo en modo alguno estaba dispuesta a tolerar.

—No llores, mi amor. No llores —me dijo mi Amado, todavía me parece estar oyéndolo—. No llores. No pasa nada, no tengas miedo. Me llevó a la cama, y él mismo me cubrió con el camisón y me tapó con las mantas. Era yo ahora la que temblaba, como un bosque en medio de una tormenta, y él pensó que aquella zozobra se debía al temor. Y de alguna forma, así era: temía que fuese él quien me mostrase que la vida podía seguir sin Ernesto Placeres, qué estupidez la mía. Así transcurrió mi primera noche de casada, y la segunda, y la tercera también. Y aquella interminable lucha que comenzaba al entrar a la habitación y terminaba con un llanto más que estudiado, concluyó el día —la noche, en realidad— que Amado Santiago entró en el dormitorio con una enciclopedia, un cuaderno con hojas amarillentas cosidas a unas tapas de cartón, un tintero y una pluma que debieron pertenecer a Adela Castro, y que hasta ese momento habían permanecido guardados en el desván.

—Yo no consigo dormir por las noches —me dijo—, y tú tampoco pareces descansar demasiado. Algo tendremos que hacer para pasar el tiempo.

Y fue ahí donde mi madre se equivocó, ¿recuerdan?, cuando me dijo:

—Ningún hombre te traerá nada bueno.

Nada más lejos de la realidad. Recostados en la almohada y tapados con las sábanas, mi Amado Santiago encontró al fin una utilidad para nuestros cuerpos. Sobre ellos, apoyamos las libretas y escribimos nuestros nombres con caligrafía borrosa. Eso fue lo primero que aprendí: «Raquel dos Santos», escribí, sin saber siquiera lo que estaba haciendo; después, mi Amado se empeñó en enseñarme a dibujar cada una de las letras del abecedario, que previamente aprendí, por orden alfabético, primero las vocales, luego las consonantes, y al final todas juntas. La que más me gustaba era la e, lo habrán adivinado, y tal vez por eso, cuando dominé sus trazos, cinco meses después de la boda, comencé de nuevo a fijarme en mi Amado Santiago tal como lo hice el día en que acepté casarme con él, aquella mañana lluviosa de primavera de la que les hablé. Lo veía deambular por la casa, trabajar en el campo, y lo veía levantarse de la cama cuando aún no había amanecido, con los ojos enrojecidos por el sueño y el gesto cansado por la noche en vela. Se vestía en silencio, sin hacer ruido, para no despertarme, sin saber que yo sólo era capaz de vencer mi espanto ante su presencia y mi miedo por los sueños enviados por Adela Castro cuando él se marchaba. Les confesaré algo más: tampoco supo nunca cuánto me sorprendía cada mañana la tremenda erección con la que amanecía. Mientras se ponía la ropa, caminaba por el cuarto y me miraba de soslayo. Una vez, cerca de la v en el alfabeto, se acercó a la cama creyéndome dormida y me acarició el cuello, sin exagerar les digo que fue como si estuviera tocando con sus propias manos la reliquia de un altar. Al día siguiente, cuando volvió a creer que dormía y se acercó a mí de nuevo, yo le esperaba con los ojos cerrados, los botones del camisón entreabiertos y la respiración entrecortada por mi excitación y la que le suponía a él.

Le estaba agradecida, y además me gustaba la curva que le formaba la espalda, el modo en que arqueaba las cejas, el aire travieso de su sonrisa infantil, la forma en que me miraba. Qué sé yo. Le estaba muy agradecida, aunque sus lecciones nocturnas no consiguieran hacerme aprender con la celeridad que él mismo había supuesto. Dedujo que tal vez hubiera iniciado mi aprendizaje de forma equivocada, tratando de enseñarme a escribir antes de que supiera leer. Así que aquella noche llegó a la cama con una vieja Biblia, y comenzó a recitarla con su voz torpe y grave. «En un principio creó Dios el cielo y la tierra», leyó, y me enseñó entonces a leer. Aprendí rápido, tanto que cuando por fin dijo Dios: «hagamos el hombre a imagen y semejanza nuestra», yo misma fui capaz de leerlo, entorpecida mi lectura por el acelerado ritmo de mi corazón, que amenazaba con quebrarme las costillas en cada latido.

No amaba a Amado Santiago, ni le amé nunca, pero le deseé cada día, cada noche, hasta que creí que no podría controlar el caudal del deseo que, de algún modo, no sabría explicar cómo, se me escurría por entre las piernas al escucharlo leer.

Le estaba agradecida, lo he dicho y no me cansaré de repetirlo: muy agradecida. Por ese sentimiento, y por el respeto que hacia él sentía, esperé a que Dios encontrase su descanso en el último día, razones no le faltaban para estar agotado después de haber creado el mundo entero, con tanto que hay en él, en sólo seis días. Esperé, como les decía, y cuando mi Amado leyó que Dios bendijo al día séptimo y lo santificó, yo misma cerré el libro, se lo arranqué de la mano y lo dejé caer al suelo, bajo la cama, donde fue a parar junto al orinal, por muy sagrado que fuera su origen.

Le estaba muy agradecida, sí, y en verdad no me faltaban motivos. No fue sólo por gratitud que le miré a los ojos y le besé en los labios con la mirada encendida, aunque no de la misma luz que le iluminaba a él, no les voy a engañar. No fue únicamente por eso que le quité impetuosamente la ropa de lana con la que dormía, ni fue sólo por eso que me levanté y dejé que mi camisón se deslizase lentamente hasta mis pies; no fue sólo la gratitud la que me hizo besarle los hombros, el pecho, los brazos, las piernas, el cuerpo entero. Le besé porque lo quise, le acaricié porque lo deseé, y dejé que él hiciera lo mismo conmigo porque no encontré utilidad mejor para las formas que nos había dado la naturaleza. Dios nos había creado distintos, lo había leído hacía días, y ahora sabía por qué. Aquella noche no busqué en el cuerpo de él ningún sabor, pero aun así lo encontré. Y me gustó.

No sé si mi esposo intuyó alguna vez que yo no le amaba, pero tengo la certeza de que no le cupo duda alguna de cuánto llegué a desearlo. En mí encontró a la amante que nunca se había atrevido ni a imaginar, y en unas semanas, recuperamos el tiempo perdido en esos meses. El sueño todavía tardó en llegar, porque combinábamos los momentos de lectura con las interminables sesiones de besos y caricias que terminaban siempre con peligrosos desafíos al cansancio o al pudor; después, mi Amado recorría el cuarto buscando la ropa con los ojos brillantes y la sonrisa franca, y yo me quedaba en la cama, exhausta y sin acordarme de la condena reservada para mí por Adela Castro.

Creo que Eva y yo concebimos al mismo tiempo. Ella tuvo a Caín, que fue labrador, y yo a mi Lucio, que no fue nada en la vida y que sólo sirvió para heredar las malas costumbres de su abuelo materno: la obsesión por apostar y el hábito de pagar con la vida por las apuestas.

Mi Amado tampoco durmió mucho en el transcurso de mi embarazo. Las pesadillas regresaron y no me dejaban dormir, el miedo me paralizaba el cuerpo: temía morir antes del parto, y también padecía un temor más que fundado a que la muerte me sorprendiera durante el alumbramiento; el corazón se me aceleraba, las venas de las sienes aumentaban su caudal y lloraba de terror por las muertes inminentes que me acechaban. Pasaba las noches preparándome infusiones: flores de enebro para la taquicardia, de malva y romero para la circulación, de calamento contra los nervios, y de amapola contra el insomnio. Tuve tanto miedo de morir que nunca supe de qué se me murió él, tal vez de puro cansancio. Desperté con los rayos del sol del mediodía y lo encontré a mi lado: aquella mañana no había ido a trabajar. Y al posar mi mano sobre su rostro, lo hallé frío e inmóvil: muerto, ya lo habrán intuido.

AL NIÑO QUE NACIÓ LO LLAMARON LUCIO, Y MI Amado Santiago jamás llegó a conocerlo. Recuerdo que aquel hijo nuestro nunca mostró demasiado interés por los sonidos del mundo; tardó años en hablar, mucho más tiempo de lo que era normal en otros muchachos de su edad y condición, y no fue por imposibilidad física, sino por pereza, que al fin y al cabo no viene a ser más que otra forma de hacer imposibles las cosas. He dicho que lo llamaron Lucio, y he dicho bien, porque cuando me preguntaron el nombre que deseaba ponerle, yo permanecí callada y durante mucho tiempo no salí de aquel irritante silencio.

De alguna manera, Lucio me heredó el silencio con el que lo amamanté, como yo misma tal vez hubiera heredado el silencio con el que mi madre no pudo amamantarme. Ya sé que él no tuvo la culpa... por no tener, apenas si tenía tamaño, tal vez porque no dejé de sentirme pequeña durante todo el embarazo, y porque, además, la misma mañana en que acaricié el cuerpo frío de mi marido muerto me declaré en huelga de palabras. De todas. Fue una rabieta, qué van a pensar, pero no encontré mejor modo de demostrar mi enfado con un destino como el mío, que me había revelado la imagen de la felicidad con el único propósito de enseñarme lo que me estaba perdiendo.

Ni por un momento se me ocurrió pensar que peor que mi viudedad era el destino de mi Amado Santiago; no les he advertido que siempre fui una egoísta, pero se habrán dado cuenta por ustedes mismos: siempre pensé en mí misma y en mi felicidad antes que en cualquier otra cosa. No deja de resultar trágico que después de tanto empeño no haya sido en la vida más que una pobre infeliz. Puede que sea eso lo que me merezca: siempre he combatido sola, y al final he comprendido que una suerte como la que yo pretendía sólo es posible con la unión de dos voluntades, coincidentes, además.

No quería hablar, y de haber podido, hubiera dejado también de escuchar y de respirar, dos deseos inútiles y prescindibles, tal y como los últimos años del padre de mi Amado Santiago se encargarían de demostrar. Así que Lucio Placeres creció sin palabras, y casi me atrevo a decirles que se hizo grande sin ningún cariño. No le culpaba en absoluto de la muerte de su padre, insisto, pero me sentía incapaz de mostrar el más mínimo interés por su pequeña persona; no recuerdo haber jugado con él, ni podría asegurar cuándo le salió el primer diente, ni cuál fue la primera palabra que pronunció. Mucho menos podría hablarles de sus gustos, de sus miedos, ni de sus deseos. Mi hijo fue para mí un desconocido desde que nació hasta el mismo día de su muerte, absurda y a destiempo. Y no crean que eso hace menos dolorosa mi tristeza.

A los tres días de nacer, el niño no había probado ni mi leche ni mis caricias, y lloraba constantemente de hambre, de frío y de desconsuelo, hasta que el padre de Amado Santiago tuvo una idea que le rescató de una muerte más que segura. Les ahorraré los detalles: en su cuarto día en este mundo, mi hijo comenzó a compartir su vida con dos mujeres que se negaban a hablar para demostrar su duelo; una pasó seis meses enteros sin moverse de la cama y después trató en vano de ganarse su cariño; la otra vistió de negro hasta que murió y no le dirigió la palabra en ninguno de los días de su vida. La primera fui yo; la segunda, como habrán supuesto, era mi madre.

Desde la noche en que su marido la dejó esperando y ahogándose en suspiros, mi madre se había perdido un poco cada día hasta convertirse en la sombra de lo que alguna vez debió de ser, cuando tenía fuerzas para enfrentarse a la vida y reconocer los límites de su cuerpo en los dedos que la acariciaban. Así es el amor, y así son también sus consecuencias cuando termina de pronto, cuando el sabor de los besos desaparece en la boca, y en su lugar sólo queda el regusto de la amargura. Y con aquel sabor dentro envenenándole el alma, mi madre no pudo evitar convertirse en un alma en pena: entonces no pude entenderlo. Ahora sí puedo, para desgracia mía.

En unas horas se trasladó a la casa que mi Amado Santiago me había dejado en herencia. Aparte de un montón de cachivaches inútiles, ella tenía pocos objetos personales que en verdad apreciara, y los dispuso en un cuarto soleado junto al corral, donde colocó un retrato de su difunto marido en cada pared, para encontrarse con él dondequiera que mirase. Se negó a usar el retrete, no se desnudó ni una sola vez, ni siquiera ante el médico, y siempre creyó que el termosifón de la bañera para calentar el agua no era más que una invención del demonio. Pasaba el día entre el corral y su cuarto, cuidando de los animales y vigilando a mi hijo, arrastrando los pies y la pena hasta llegar a algún lugar donde creía que nadie la veía; sólo entonces aflojaba la camisa negra almidonada y planchada mil veces, y por entre los botones dejaba asomar la medalla de oro en la que Irineo dos Santos plasmó su evidente sorpresa ante el fogonazo de la cámara: la mirada desencajada, la boca abierta y la mano levantada. Él quiso destruir aquel retrato en cuanto lo vio, pero ella había pasado la noche entera cosiendo la ropa que ambos lucían en la fotografía, y a pesar del gesto encontraba atractivo a su marido.

—Nos la llevamos, no se hable más —y dejó unas monedas en la cesta del fotógrafo.

—Pero, ¿para qué, mujer? No vale la pena. Fíjate: de nada sirve, no se me ve la mitad de la cara —protestó él.

—Eres el hombre más apuesto del mundo, pero yo no te quiero por eso. Te quiero por cómo eres. Y así, como estás en este retrato, es cómo has sido hoy. La llevaré siempre conmigo, aunque estés feo —rió—, para que sepas que te voy a querer toda la vida.

Con la yema de sus dedos acariciaba la cara de espanto de su marido, y con los labios cerrados reproducía aquella conversación, una y otra vez, antes de dejarse vencer por otros recuerdos. Y entonces, volvía a verle tal como le recordaba: alto y fuerte, apasionado y sensual, generoso y complaciente, sin temores ni pudor. «Ay, Irineo —pensaba—, que podíamos haber sido felices la vida entera». Y en cambio, ya ven: muda, y enlutada, y sola, para lo que le quedaba por vivir. Apenas habló desde la muerte de su marido, ni se permitió querer a nadie: porque dolía demasiado y porque no había nada que le quedase por decir. Yo no lo sabía entonces, pero también la estaba imitando en eso. En eso, y en la ausencia de cariño con la que crié a mi hijo Lucio, y que sin duda algo tuvo que ver en el triste fin que le aguardaba.

# Segunda parte

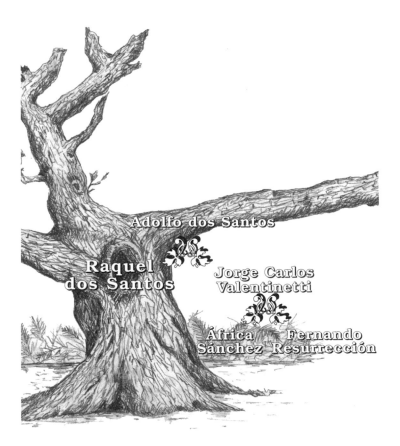

Adolfo dos Santos

Raquel
dos Santos

Jorge Carlos
Valentinetti

África
Sánchez

Fernando
Resurrección

**D**IJO QUE SE LLAMABA ÁFRICA, Y FUE EL GRAN amor de Fernando Resurrección, que tenía sesenta y siete años cuando regresó en busca de ella. Muchos de los acontecimientos que nos sorprenden en la vida requieren de tiempo para ser digeridos, eso es algo que he ido aprendiendo conforme vivía y que he terminado de asimilar deseando estar muerta, y se lo advierto ahora por si están aún a tiempo de arreglar sus asuntos. El caso es que él sí se dio por enterado cuando todavía estaba vivo, y decidió que un océano y toda una vida no eran suficientes para poner freno a un sentimiento como el que sobrevivía en su pecho, el mismo del que no había podido desprenderse en todos los años que le habían tocado vivir, por más que hubiera intentado arrancarse su sabor de la boca y su olor de la piel. Así son las cosas por más vueltas que se les dé, y cuando por fin llegó a esa conclusión, irrefutable y tardía, recogió sus pertenencias y desanduvo sus pasos para buscarla.

Su gran amor dijo que se llamaba África, pero ése no era su nombre verdadero. No obstante, Fernando Resurrección le perdonó el embuste por dos razones: por la profesión de ella, y porque él también había mentido en su propio nombre. La confesión del segundo motivo le produjo más vergüenza que revelarme el primero, y eso a pesar de que África era puta, perdón por la palabra. Porque África era puta, pero por necesidad, lo que convertía en menor cualquier ofensa en caso de haberla, cosa que evidentemente no sucedía en el ánimo de Fernando Resurrección.

La conoció como suele ocurrir en estos casos: él tenía el dinero y ella no, ella dijo el precio y él se lo pagó, y en medio pueden adaptar todas las canciones que se les ocurran, pero por más que lo intentaran no podrían poner música al brillo de los ojos de él cuando me hablaba de la sonrisa de ella, del modo en que llenaba toda la cara de ella, «toda África, Raquel», me decía. Y es que fue por su sonrisa y no por sus pechos que se enamoró, «y mira que eran preciosos, redondos y firmes, suaves y llenos de sabor», me contaba con los ojos entornados, como si en el gesto pudiera volver a verla como eran los dos entonces.

Me habló de África desde las puntas de su cabello hasta las uñas de sus pies, no les exagero. Me la describió y la descubrí en sus palabras como si de veras fuera un continente misterioso e inacabable: me perdí en sus valles, escalé sus cumbres, bordeé sus ríos y me sumergí en los mismos abismos donde Fernando Resurrección no tuvo más remedio que dar por perdida su cordura. Se enamoró como un niño pequeño cuando era ya un hombre grande, y tal vez fue ayudado por su locura como pudo reconocer que, sin haberlo pretendido, se había terminado hallando frente a lo que otros, casi todos, en verdad, pasamos la vida buscando.

Reconoció el amor sin dudarlo en la risa sonora de África, en el olor dulce de su sudor y en el sabor salado que escondían sus rincones, y cuando disipó sus dudas no tuvo reparos en enfrentar las de ella. Sintió entonces miedo, por primera vez: acaso África no compartiera tales sentimientos, y la risa, y los suspiros, y hasta el sabor y el olor, no fueran más que una contrapartida estipulada en el trato. Se equivocó. África, que realmente se llamaba Soledad Sánchez, había quedado cautivada por el calor que sus manos desprendían al acariciarla y el sabor de sus jadeos al enredarse en la boca, pero por más que trató de justificar sus sentimientos con aquéllas y otras razones similares, no consiguió que él entendiese que no había más motivos que el amor verdadero. Por eso él nunca creyó que ella le amara, y aquella duda le consumió cada día que pasaron juntos, hasta que terminó por poner fin al amor que habían tejido en tiempos de adversidad.

Por si no lo he dicho antes, Fernando Resurrección era militar de rectos principios y estricta moral que había mantenido intactos en sus treinta años de vida. Y estaba casado, además, pero en ese otro mundo él no se llamaba Fernando, y mucho menos Resurrección. Así, Resurrección, fue como decidió apellidarse cuando se sintió vuelto a la vida la primera vez que África le mostró los secretos que había olvidado en el lecho conyugal.

El nombre de Fernando fue más casual.

—¿Cómo te llamas? —le preguntó ella, mientras se desabrochaba el vestido y lo doblaba sobre una silla desvencijada.

Él permanecía desnudo sobre la cama que se quejaba bajo su peso aunque no se moviese, cubierto hasta el cuello por unas sábanas amarillentas y ásperas, y se entretenía contando las manchas de la pared para no preguntarse por enésima vez qué coño estaba haciendo él allí, pagando por algo que su mujer le daba gratis y sin rechistar, y encima con alguien a quien ni había mirado al entrar. Y era cierto que no la había mirado cuando la escogió; irse con ella a la cama no fue más que la consecuencia de una sucesión de casualidades que se conjuraron a su favor. La suerte viene a veces con esos designios.

Fernando Resurrección no había estado en ninguna isla, nunca había viajado en barco y jamás se había separado de su mujer, así que vomitó todo el trayecto y maldijo mil veces la suerte que le alejaba de la armería del cuartel, y le condenaba a pasar dos años vigilando una colonia, precisamente a él, que no era capaz de custodiar ni los armarios de su casa, como solía repetir siempre que tenía ocasión.

Cuando llegaron al puerto todavía no había conseguido limpiar el último de sus vómitos de la pechera del uniforme, y suponía que el resto de sus compañeros debían andar los mismos pasos que él; le sorprendió, sin embargo, escuchar la propuesta de alguien que pretendía ir a un prostíbulo a la primera oportunidad.

—Yo no voy de putas —respondió. Les miró fijamente, tratando de imponer un aire marcial y frío a sus ojos azules—. Hay cosas que sólo han de hacerse dentro del matrimonio.

—¿Y eso, por qué? ¿Quién te lo ha dicho?

Él no se molestó en disimular su enojo:

—No hace falta que nadie me lo diga: el sexo sólo tiene sentido dentro del matrimonio, para traer hijos al mundo. Ya lo dicen las oraciones, ¿nunca las habéis oído? —los demás negaron con la cabeza, mientras trataban de no reírse de su compañero—. «No es por vicio ni por fornicio, sino por dar un hijo a tu servicio.» Así es como debe hacerse: por amor y dentro del matrimonio.

—Por amor y dentro del matrimonio... No parece que sean dos cosas que puedan ir siempre juntas —todos sonrieron—. Tú ya lo haces dentro del matrimonio, ahora sólo te falta hacerlo por amor. Quizá aquí te encuentres con la mujer de tu vida, y entonces no será pecado.

Fernando Resurrección mostró su anillo para hacerles callar, pero buscó un pretexto cualquiera para marcharse con ellos en el primer permiso, y fue el único que no regresó.

—Que cómo te llamas —repitió ella con su voz infantil, sacándolo de sus pensamientos.

Y fue entonces cuando al fin la observó, apenas cubierta por un camisón casi transparente de puro viejo, que había debido de ponerse sin que él se diera cuenta. Le intuyó las piernas, flacas como alambres, repasó con la vista todas sus costillas y cada uno de sus huesos, y le imaginó una vida de calamidades, demasiado dura de sobrellevar por alguien que tenía unos ojos tan inmensamente negros y profundamente limpios.

—Si no eres más que una niña... —le reprochó, con el alma encogida en el pecho—. ¿Qué es lo que te ha pasado? Si no eres más que una niña...

África, que compartía con él lengua y país, el mundo no es más que un pañuelo, qué quieren que les diga, le sonrió con pena.

—Ojalá lo fuera —dijo, y miró al suelo, sin saber que él había empezado ya a reconocerla—. Pero, y tú, ¿cómo te llamas?

Él improvisó. «Me llamo Fernando.» El apellido Resurrección vino más tarde, como les dije, después de gastarse todo su dinero, de borrarse el nombre y hasta su pasado en cada uno de los besos que convirtieron aquella habitación llena de ruidos y cochambre en el paraíso más maravilloso que jamás hubiera podido imaginar.

Se enamoró en una noche, como está escrito en las mejores coplas, pero la vida real es todavía mejor cuando la fortuna se conjura del lado de uno, como les ocurrió a ellos dos, así que amándose como se amaban y habiéndose reconocido cada uno por su lado, no les quedó más remedio que hacer lo que hicieron: poner tierra de por medio entre ellos y el pasado, y disponerse a compartir el resto de su existencia. Él empeñó el uniforme, su anillo de bodas y un pequeño marco de plata donde portaba las fotografías de dos de sus hijos, porque tenía cuatro. Ella desenterró con cuidado todo lo que había atesorado tras años de duro y penoso trabajo, y con el dinero que él le había pagado por una noche de pasión, compraron dos pasajes de barco sin molestarse en preguntar adónde iba: en realidad, no les importaba adónde fuera. Ellos ya estaban en casa.

Cuando el barco zarpó de aquel puerto que parecía haber sido creado por el destino con el único propósito de que los dos se conocieran, ambos dejaron atrás otra vida. En el muelle, ella abandonó un pasado ingrato del que se sintió redimida por aquel amor, y él vio empequeñecer una vida que nunca había acabado de pertenecerle, sujeta como había estado a tantos principios absurdos. Soledad dejó salir a África, dueña de su cuerpo y de su corazón, y Fernando Resurrección dijo adiós a José Adolfo Trigo, que treinta y siete años más tarde vendría a mi vida para contarme su historia y traerme un marido.

Pero no vayan a creer que José Adolfo Trigo, o Fernando Resurrección, fue mi segundo esposo. La reencarnación tardía de mi imaginado abuelo no llegó sola. Le acompañaba en el viaje un joven al que quería como a un hijo, aunque no fuera sangre de su sangre. África, en uno de sus múltiples abortos, quedó incapacitada para la maternidad, pero el instinto de madre le brotó nada más ver la cara de hambre y el gesto bravo de Jorge Carlos Valentinetti, que entonces no era más que un crío y ya se empeñaba en mostrar al mundo el hombre valiente que llegaría a ser con el tiempo. Jorge Carlos Valentinetti viajó en el mismo barco que ellos tomaron por azar, pero él sí sabía adónde le llevaría: justo de vuelta a su casa, lejos de un país de aire húmedo y pegajoso que le impedía respirar. Hacía poco que sus padres habían muerto y decidió que lo mejor sería regresar a su patria, donde aún le quedaban vivos algunos parientes, pero un destino insospechado se le cruzó en el camino, y se dejó adoptar por la atípica pareja que formaban Fernando Resurrección y África Sánchez, de modo que cuando el barco tocó puerto, los tres habían compartido el viaje de tal forma que acabaron por inventar sus lazos de sangre, no me pregunten cómo. El caso es que de aquel barco bajó una familia que nunca había existido, pero con un pasado común, unas mismas ilusiones y una firme promesa de no abandonarse jamás, por muchos años que les cupiera en suerte vivir. Y de esta manera tejieron su relación, con hilos tan fuertes que en el día de hoy, y a pesar de los acontecimientos, permanecen todavía sin soltarse.

ASÍ PUES, SE LLAMABA JORGE CARLOS VALENTI-netti, aunque también hubiera podido llamarse Jorge Carlos Resurrección Sánchez, e incluso Jorge Carlos Trigo —no se me pierdan entre tantos nombres—, y yo fui su mujer por gratitud. No les digo más, supongo que me van conociendo, y a estas alturas habrán supuesto las consecuencias que tuvo para mí el reencuentro con el que yo quise suponer mi abuelo. Mis fantasías de pequeña, ya les hablé de ellas, se hicieron realidad en el pelo negro y la sonrisa confiada de José Adolfo Trigo, en su mano firme y resistente a los desmanes del pulso, y en sus ojos perpetuamente mojados por una lágrima que no llega-ba a verter nunca y que tanto se parecía a la mía. Sé que no éramos familia ni de lejos, que si coincidimos no fue más que por los avatares del destino, pero tam-bién hay algo que he aprendido con los años, y es que la realidad tiene de real lo que nosotros queramos que tenga: no conocí a mi padre, mi madre no me puso nombre alguno, y el amor de mi vida nunca llegó a amarme, no crean que me he olvidado de él; por esa razón agradecí el regalo que la vida me hacía llegar cuando más lo precisaba, y no me pregunté de dónde venían, igual que tampoco me hice preguntas cuando se marcharon.

En cualquier caso, he de advertir que no recuerdo de qué manera el que hubiera podido ser mi abuelo y el que acabaría siendo mi segundo esposo llegaron hasta mi vida. He tratado alguna vez de acordarme cómo José Adolfo Trigo y Jorge Carlos Valentinetti se convirtieron en lo que fueron después, pero está de más señalar que mi memoria y mi voluntad no caminan al mismo paso; así que lamento no poder contarles cómo el pelo negrísimo de José Adolfo Trigo llamó la atención entre tanta cabeza cana, o cómo el tono meloso de Jorge Carlos Valentinetti hasta para pedir un cigarro —«eh, mina, deja de balconear y tráeme acá un pucho», todavía lo puedo oír—, consiguieron sacudirme toda mi tristeza.

Jorge Carlos Valentinetti tenía la voz llena de frutas jugosas porque, cuando el barco llegó a puerto, la nueva familia se encontró en la Argentina, inmensa, ardiente y pobre como ellos mismos. De allí había salido Jorge Carlos Valentinetti pocos años atrás, cargado en los brazos de su madre, tras la promesa de una vida mejor. Pararon en incontables lugares, húmedos y secos, yermos y fértiles, sin que ninguno les acomodara, precisamente por ser de la manera que eran; al fin, y después de tantos intentos la vida les llevó nada menos que a Guinea, donde con pocos compartían color y en donde creyeron haber encontrado el paraíso después de estar en el infierno, pero que realmente para lo único que pareció servir con los años fue para que Jorge Carlos se encontrase con su vida nueva. Ignorantes de su destino, se propusieron aprender las costumbres y ganar todo el dinero que estaba a su alcance en la colonia, pero la promesa de una vida mejor duró lo que suelen durar las esperanzas infundadas. Cuando Jorge Carlos sacó la cuenta, se hizo cargo de que había pasado buena parte de su breve vida encerrado en un camarote de barco, desafiando a las enfermedades y a las estrecheces del navío, para que después toda la familia viniera a morirse al poco de llegar a su destino soñado. Así de juguetona resulta la fortuna, creo que lo he advertido más de una vez, y que ustedes y yo podemos hacernos una idea a estas alturas del cuento.

Como les decía, Jorge Carlos Valentinetti abandonó la Argentina cuando no era más que un crío, acompañado por la algarabía de una familia llena de esperanzas, y se hizo el ánimo de regresar al mismo país cuando la soledad y la desazón pudieron más que la voluntad de permanecer en la tierra en la que descansaban todos sus parientes cercanos. No era mucho mayor que cuando se marchó, pero la vida le había golpeado de tal forma que alcanzó una madurez insospechada en un niño de su edad: pocos años, muchos muertos, y una vida por delante con la que no sabía qué hacer. Primero se murió su madre, nunca me dijo de qué, y a ella le fueron siguiendo todos sus hermanos. El último en morir fue el padre, puede que de pena, y finalmente sólo quedó un Valentinetti para atestiguar la fugacidad en el mundo de aquel apellido. Por su condición de niño hubiera llorado sin tregua durante años, como un perro abandonado en medio de un camino, pero algo en su interior le advirtió que quizá fuera mejor recoger sus cosas y llorar sus muertos la vida entera, pero en otro lado. Eso hizo: toda la vida lamentó la muerte de su familia, y cada día entonó por ellos una secreta letanía que sólo me confió al borde de su propia muerte, pero tuvo especial cuidado en no encariñarse demasiado con nada de lo que luego le costase despedirse. Tal vez conmigo hubiera sido distinto, pero la vida se acorta cuando los sueños se agrandan, yo me lo sé bien.

El caso es que José Adolfo Trigo y Jorge Carlos Valentinetti vinieron sin hacer ruido, puede que por eso no recuerde los detalles de su llegada; de hecho, se les ocurrió hacerlo precisamente en un momento en que ninguno esperaba la llegada de nadie, justo en medio de la guerra. Años después de la huida de África, Fernando Resurrección decidió partir en busca de su gran amor, y su hijo no pudo menos que acompañarle en aquel viaje. Primero la buscaron en diferentes ciudades de Argentina, pero luego, considerando que probablemente hubiera decido regresar a su país, se atrevieron a cruzar el mar para continuar aquella búsqueda en la que cada día Jorge Carlos creía menos y Fernando Resurrección se afanaba más.

Llegaron sin hacer ruido, ya les digo, cuando pocos hombres jóvenes y sanos permanecían en su hogar, y tal vez eso debería habernos extrañado, pero la guerra sume a las personas en un estado incierto del que es difícil salir, puede que por el miedo, por la pena o tal vez sólo por el hambre. Las cosas vienen y van, y lo mismo sucede con las personas: yo era viuda, tenía un hijo, y unas enormes ganas de bailar, más grandes aún que el duelo que le guardaba a mi provisional viudez, que no era precisamente la de Amado Santiago Placeres, como ustedes podrán comprender.

Decían que Ernesto Placeres había sido el primero en salir del pueblo, que no sé de dónde iba a venirle tanta conciencia social a un aprendiz de pintor, rotulista y decorador. Al oír la primera noticia de guerra, salió volando como las mismas balas que más tarde disparó. Me figuré que no se había despedido de nadie, y me volví sobrehumana para multiplicar mis esfuerzos: así conseguí no imaginar la última noche con su mujer, y pude no escuchar cada «ay, ay, Carmen» que salió de su garganta. Por primera vez en mi vida fui más fuerte que mi fantasía y sujeté firmemente las riendas de mi imaginación, por una mera cuestión de supervivencia; lo único que pude imaginar es que todo acabaría pronto, y traté de enfrentar cada jornada como si se tratase de la última, como si el día que acababa de amanecer fuera a ser el que me lo devolviera, vivo y cuerdo. Si entonces hubiera intuido cuánto tiempo tardaría en volver, probablemente me hubiera quitado la vida allí mismo. No lo hice; he tenido una existencia larga, se pueden hacer una idea, tres maridos, tres hijos, y ninguno fue de él por más que lo imaginé dentro de mi cuerpo cada vez que hice el amor. No he dejado nunca de amarle: he desafiado la cordura y el sentido común, y hasta el día de su muerte he estado esperando a que volviera a buscarme. Sólo al final de mi vida, me he hecho cargo de mi terrible error. Ya ven.

Algo similar en buena parte le sucedió a Jorge Carlos Valentinetti: yo estaba incapacitada para enamorarme de ningún otro que no fuera Ernesto Placeres, y a él se le figuraba imposible amar a nadie que no fuera Jorge Carlos Valentinetti. Y aunque pudiera parecerles un hombre egoísta, todo tiene su explicación. Jorge Carlos Valentinetti siempre se mostró resentido con un destino que le dejó huérfano del cariño de su madre —coincidirán conmigo y con él en que no hay amor más grande—, y para corresponder a la afrenta, se afanó desde muy pequeño en que nadie en el mundo entero, y por su destino acabó recorriendo gran parte de éste, le superase en amor. Tal vez fue para compensar, o tal vez fue sólo una manera de ser, pero en cualquier caso aquel objetivo hubiera podido darse por cumplido: nadie nunca le quiso más que él mismo; ni siquiera África Sánchez, que lo adoró desde el primer momento en que lo vio asomado a la barandilla del barco en una actitud que no supo si calificar de suicida o de desafiante. Por si las dudas, lo agarró del hombro y sacó del pecho su mejor tono para hablar con él. Le preguntó por su madre —ahí se equivocó—, y el niño la envió a un lugar que no suelen frecuentar las señoras. A ella, que hasta entonces había sido puta —perdón de nuevo por la palabra—, no sólo no le importó, sino que hasta le hizo gracia.

—¿Que me vaya adónde? —le preguntó, para comprobar si le había entendido bien y si en verdad hablaba español.

El niño lo repitió, y ella le acarició la cara con la palma de la mano.

—¿Vamos juntos? —le propuso, con una sonrisa franca.

A pesar de ser un niño, él había sido capaz de enterrar a su familia y de colarse en un barco sin futuro y sin dinero, haciendo honor a su apellido italiano, sin derramar una lágrima, pero no pudo mantener su falsa hombría ante la ternura de aquella mujer, que no se espantaba por sus insultos y que tenía los ojos tan negros como los que le recordaba a su difunta madre, que en realidad los había tenido verdes, aunque él no se acordaba. Así que se abandonó al calor de la mano que acariciaba su mejilla y se volvió lo que era: un crío perdido y asustado. África Sánchez, que había pasado años enteros en la misma situación, perdida y asustada, reconoció aquellos sentimientos en la mirada del niño. No le preguntó nada: lo tomó de la mano, y aferrados los dos a los dedos del otro, como si en aquel anudarse les fuese la vida, lo llevó con ella hasta donde estaba su esposo ante los ojos de Dios. Fernando Resurrección, que ya se había acomodado al nombre, no cayó rendido ante el niño del mismo modo que ella; un amor a primera vista había sido suficiente para él, pero no se atrevió a contrariarla cuando ella literalmente le suplicó que se quedasen con él.

—¡Pero si no lo conoces de nada! —protestó.

—Como a ti —dijo ella, dando por zanjado el tema.

La travesía fue larga, tanto que, a mitad de viaje, el niño había conquistado con su desparpajo al antiguo cabo armero, que después de tantos años sin saberlo se descubrió un corazón. El mozalbete les enseñó tangos, les cantó milongas, les improvisó cuentos y hasta trazó un plan para instalarse en la Argentina los tres en cuanto llegasen a puerto, porque entre tanto ardor de novios primerizos, los adultos no encontraban forma de acomodar la cabeza para pensar. Fue él quien les propuso destinos, quien, entre tantas ciudades de nombres equívocos o impronunciables, les mencionó Puerto Deseado, un lugar que les entusiasmó simplemente por su significado, y quien antes de bajar del barco trapicheó de mil formas para buscar el modo de llegar hasta allá. Lo consiguió.

Fernando Resurrección se empleó pronto como estibador en el puerto, y África Sánchez demostró que la habilidad de sus manos no sólo resultaba prodigiosa cuando su hombre andaba cerca: era capaz de convertir trozos de tela inservibles en verdaderas obras de arte; combinaba colores y formas de tal modo que su fama pronto fue conocida en todo Puerto Deseado, y lo mismo diseñaba vestidos para las mujeres de la alta sociedad que para las niñas más pobres o para las putas, con perdón, que también vivían en el barrio arrabalero en el que ellos encontraron acomodo. Porque África siempre tuvo un corazón que de inmensamente grande no le cabía en el pecho, de tal manera que Fernando Resurrección sentía miedo de resultarle pequeño, como acabó sucediendo, ya les contaré en otra ocasión.

Se instalaron —les decía— en un cuarto de alquiler en el arrabal del puerto, donde los gritos se confundían entre mil idiomas: italiano, español, portugués, que cualquier lengua era buena para comunicarse en un país de inmigrantes, y en todas ellas aprendió África la forma de decirle a su hombre cuánto le amaba. También quiso hasta el exceso a su hijo adoptado, más que a nadie y más allá de la razón: por eso no soportaba verle sufrir, y cualquier pretexto era bueno para hacerle regalos que demostrasen su amor. Pensarán que tal comportamiento no deja de ser habitual en una madre, aunque sea postiza, pero el caso de África resultaba sin duda especial, y les explicaré por qué.

Si les digo que Jorge Carlos Valentinetti era un hombre de edad indefinida no es porque le convenga al cuento, sino porque Jorge Carlos Valentinetti era un hombre sin edad. Cuando África agarró su hombro en el barco creyendo que le salvaba la vida —y en cierto modo, se la salvó—, no le preguntó al pequeño cuántos años tenía. Quizá entonces él lo hubiera sabido, pero cuando Fernando Resurrección sintió la curiosidad, el niño no recordaba ni dónde ni cómo ni cuándo fue que había nacido. Con gran espíritu práctico, los dos convinieron que Jorge Carlos había vuelto a nacer el día que se encontraron en alta mar; colocaron después al pequeño junto a otros niños del barrio y por la altura le decidieron la edad.

—Tiene once años, no hay más que verlos a todos juntos —conjeturó Fernando Resurrección—. Fíjate si estoy seguro, que hasta me apostaría el bigote sin temor a perderlo.

Suerte que no lo hizo, porque si de algo se enorgullecía un hombre humilde como Fernando Resurrección era del mostacho marcial que se empeñaba en lucir desde el mismo día en que dejó la vida militar. Primero fue un bigote pequeño, sin importancia, pero al cabo de los años alcanzó un tamaño digno de capitán general de todos los ejércitos. Cuando yo le conocí era capaz de pasar horas enteras cepillándoselo con un pequeño peine de púas; después lo engominaba cuidadosamente, con las puntas hacia arriba, y luego lo acariciaba indolentemente, como sin interés. Al principio lo recortaba con unas tijeras diminutas, pero después le cansó la tarea —«¿Para qué, si ella ya no me ve?», me preguntaba, con los ojos bañados en las lágrimas amargas que nunca consiguió llorar—, y no se conformó con dejar de hacerlo, sino que tampoco permitió que nadie más lo tocara: sólo cuando murió pude acicalarlo como merecía, con las mismas tijeras enanas y las mismas puntas erguidas, desafiando modas y reclamando la atención de cualquiera que le miraba, como hizo en vida. Una vez muerto, Fernando Resurrección recuperó la gallardía que perdió al mismo ritmo que fue perdiendo las esperanzas. Acaso suceda que en la muerte acabamos encontrando lo que pasamos la vida buscando. Pronto lo sabré. Pero afortunadamente no se apostó el bigote, gracias a Dios, porque lo hubiera perdido. Cuando los niños con quienes lo midieron comenzaron a crecer, y él se quedó con la misma altura, era tarde para enmendar el error; Jorge Carlos Valentinetti cumplió quince años con una altura de doce, y hasta pasados los veinte no alcanzó el tamaño suficiente para que dejasen de verle como un crío imberbe, jugando a la pelota y rompiendo cristales a pedradas, y eso por no mencionarles todo lo que se perdió en salarios, ganando como un niño lo que trabajaba un hombre. Jorge Carlos Valentinetti suplió con coraje lo que carecía en altura. Con coraje y con videncia, y aquí es donde África Sánchez le hizo el gran regalo de su amor de madre, de madre auténtica. Cansada de ver cómo su hijo se tragaba el llanto para emprenderla a golpes con cualquiera que pusiera en duda su valentía, África no tuvo inconveniente ninguno en fabricar un cuento a la medida contraria del hijo, es decir, un cuento de tal envergadura que fuera capaz de amortiguar el daño de los golpes que su pequeño no pudiera esquivar. Lo observó durante días enteros, firmemente decidida a poner término a la tortura del niño, sin perder detalle de cuanto hacía: mirar la calle, tararear viejos tangos, sacarse los mocos, pegarse con todos, ensayar la manera de caminar o de anudarse el pañuelo, nada pasó desapercibido para la madre, que después de tanto trabajo de espía acabó encontrando la solución como suele ocurrir siempre: por casualidad. En este caso, el azar se materializó en las páginas de un periódico. Aunque

África no sabía leer ni escribir, no pudo evitar fijar su mirada en otros ojos que la observaban desde las páginas amarillentas del diario.

—¿Qué pone aquí? —le preguntó a Fernando.

Él leyó el nombre:

—Elpidio Cortés —dijo, sin prestar demasiada atención.

—¿Y qué es lo que hace? —volvió a preguntar ella. Fernando Resurrección lo miró de nuevo, y no pudo evitar sonreírse ante el aspecto de Elpidio Cortés, completamente calvo y con los ojos pintados de negro. Vestía con una túnica que en la fotografía parecía blanca y señalaba amenazadoramente a los lectores con sus dedos repletos de anillos.

—¿Qué crees tú que puede hacer, con esta pinta? —bromeó Fernando—. Aquí dice que es médico mentalista. Vete a saber lo que quiere decir eso.

África acató la orden: fue a ver qué era. Intuyó que sería una misión costosa, y a punto estuvo de regresar por una vez a su anterior oficio para recaudar fondos, no la juzguen mal: todo es válido por el bien de un hijo. De todas formas, el dinero procedió de la misma fuente, porque África lo consiguió prestado de los ahorros de una de las fulanas a las que cosía la ropa. A cambio del favor, le prometió un vestido digno de una reina, con basquiña de batista, seda de damasco y adornos de organdí. Dio por tan bien empleado el dinero del préstamo que añadió al pago de la deuda dos enormes plumas de avestruz auténticas, un gesto con el que se ganó para siempre la gratitud de su amiga. Más tarde, bendijo aquel detalle que le sirvió para el pasaje de vuelta en su huida, pero ya saben que no me gusta adelantar acontecimientos.

Se puso su mejor traje, y con su hijo de la mano guardó tres horas de cola en la consulta de Elpidio Cortés, hasta que al fin les llegó el turno. Fue allí mismo donde se enteró de que Elpidio Cortés adivinaba el pensamiento con sólo mirar el blanco de los ojos, y que era capaz de atravesar el tiempo a través de la mirada, de una forma tal que no sólo había conseguido enderezar las vidas de cuantos acudían a él, sino que además había podido hacer lo mismo con la propia, puesto que de ser un más que pobre campesino del interior de la pampa, se convirtió en un hombre próspero que cada día se bañaba en champán francés para dejar apestado de mugre y sudor el orgullo de aquel país. Cuando África estaba a punto de saber por qué el maestro detestaba de aquella forma a los franceses, les anunciaron que Elpidio Cortés estaba esperándolos. Lamentó marcharse sin conocer el final del cuento, pero habían llegado hasta allí por un motivo muy serio y un chisme no la entretendría, menuda mujer era África.

Apretó la mano de Jorge Carlos y entraron en una pequeña habitación forrada con cortinas rojas y llena de un penetrante olor a incienso, que el niño recibió con un repentino ataque de tos. Efectivamente, como anunciaba la fotografía del periódico, la túnica del médico mentalista era blanca, y sus manos caían bajo el peso de sus diez anillos de oro macizo, uno por cada dedo. «Uno por mi madre y uno por mi abuela; uno por las mujeres que me han querido y uno por las que no supe amar; uno por cada deseo cumplido, y otro por todos los que aún no he podido cumplir; uno por cada hijo engendrado, uno por los que han de venir; uno por todo lo que he soñado, y uno por cada sueño que todavía debo soñar», recitó él con voz de ultratumba y sin que mediara pregunta alguna entre ambos cuando reparó en la mirada espantada de ella.

África Sánchez abrió los ojos espantada, y Elpidio Cortés entornó los suyos.

—No tengas miedo —murmuró—. Miedo no se ha de tener cuando las cosas se hacen solamente con el corazón —repitió, y levantó los párpados para mirarla fijamente—. Pero ese hombre no te conviene.

—¿Qué hombre? —preguntó ella.

—Ese hombre, en el que estás ahora pensando. En el que llevas años sin dejar de pensar —respondió Elpidio Cortés.

Ella no quiso contradecirle, y para facilitar las cosas pensó en Fernando Resurrección, que a esas horas debía de andar trajinando en el puerto, sin sospechar que en ese momento se estaba produciendo la primera mentira que entre ellos había existido desde que se conocieron.

—Ese hombre —continuó Elpidio Cortés con voz de anciano de mil años—, no es lo que tu crees —llenó sus pulmones de aire antes de continuar—, ni tampoco lo que él intenta aparentar: tiene una vida detrás que le persigue desde hace años. El pasado permanece al acecho, y no tardará en encontrarle. Es un pobre hombre, pero yo siento lástima de ti.

África apretó con fuerza la mano de Jorge Carlos, que sin ningún niño delante con el que enfrentarse no era capaz de disimular el terror que le producía la mirada pintada de negro de Elpidio Cortés y el tono de su voz, cargado de oscuros augurios.

—Para seguir viviendo tendrás que marcharte. Tendrás que huir, deprisa, antes de que te traicionen los sentimientos. Corriendo tendrás que marcharte, corriendo por el mar —vaticinó, señalando con un dedo acusador a la cara de África—. Crees que no vales nada sin él. Estás equivocada. Nada bueno traen los celos, pero es mucho peor la cobardía. Los dos tendréis una vida larga para comprenderlo. Y para lamentarlo.

Ella se levantó del sillón rojo en el que Elpidio Cortés la había hecho sentarse nada más llegar. Sentía miedo por la manera en que le hablaba, y se esforzó en mantener la compostura mientras se marchaba, sin atreverse a formular pregunta alguna sobre Jorge Carlos.

—No es tuyo el hijo, pero le quieres más que si lo fuera de verdad. Miedo no tengas tampoco por él: piensa en eso hoy, y podrás ayudarle. Tú misma descubrirás cómo —dijo él, acariciando uno de sus anillos—. ¿Hay algo más que quieras saber? —África murmuró que no—. No me mientas. Te preguntas por qué detesto a los franceses y te lo voy a decir si tú me prometes que no olvidarás esta conversación por mucho tiempo que pase —Elpidio Cortés la interrogó con la mirada hasta que escuchó mentalmente su respuesta—. Odio a los franceses porque mi padre huyó a Francia cuando nos abandonó a mi madre y a mí: las cosas más sorprendentes tienen a veces una explicación más sencilla de lo que pensamos. No te olvides tampoco de esto.

África Sánchez tardó cinco días en poder conciliar el sueño, pero aún no había amanecido el sexto cuando despertó lúcida y descansada, como si nunca hubiera conocido el insomnio. Se dirigió al jergón donde dormía su hijo, y le acarició la cara hasta que él no tuvo más remedio que acompañarla en la vigilia.

—¿Qué pasa? —preguntó Jorge Carlos.

—¿Recuerdas a Elpidio Cortés? —inquirió ella. El muchacho asintió con la cabeza, mientras se frotaba los ojos con el dorso de la mano—. Escúchame bien, porque solamente voy a decirlo una vez, y no quiero que tú lo olvides nunca: los dos fuimos a verle porque tú tienes el mismo poder. Tú también puedes oír los pensamientos de las personas, y eso te convierte en invencible, ¿comprendes? Nadie podrá hacerte daño nunca, entiéndelo bien.

Jorge Carlos Valentinetti comprendió lo que su madre le estaba diciendo, e hizo de aquella confesión un particular estilo de vida. Desde ese momento no le importaron burlas, risas ni golpes; es más, por alguna extraña causa que ni siquiera hoy soy capaz de entender, se convirtió en un hombre fuerte de verdad, de esos a los que la fuerza les viene del interior, ustedes me entienden. Así le conocí: fuerte por dentro, hermoso por fuera y dueño de un poder mental que había hecho suyo con el paso del tiempo, porque aunque no lo crean, fue tanto lo que confió en la confesión de África Sánchez que acabó escuchando en su mente los pensamientos de todas las personas que tenía enfrente, sin más trabajo que mirarles el blanco del ojo, tal como acostumbraba a hacer su pretendido maestro. Si acertó o si erraba, nunca lo supo, así que siempre dio por verdaderas todas sus percepciones. Y precisamente por ese motivo llegaron hasta mí, porque en su silencio pudo reconocer la despedida de África, y decidió dar por concluida la búsqueda de Fernando Resurrección.

—Mi amor —escuchó, y no dudó en identificar la dulce voz de su madre adoptiva—. Estoy cansada. He vivido muchos años, demasiados: soy vieja, y estoy cansada, y es hora de descansar de todo. Cuida mucho de tu padre, y no dejes nunca de decirle cuánto le he querido.

Con la mente trató de llamarla, de convencerla para que les esperase, estaban tan cerca, quería decirle, «estamos tan cerca, madre», hubiera querido gritarle, si fuera posible gritar sin abrir la boca. Pero como mentalista el pensamiento siempre tuvo para él una única dirección, así que no le quedó más que escuchar la última petición de ella.

—Y dile a tu padre, dile... —África dudó antes de continuar, y Jorge Carlos pudo escuchar también su sollozo contenido—, dile que siempre ha sido el amor de mi vida, dile que le he amado todo el tiempo, todos los días, aun antes de que pudiera conocerle, aunque no haya sido capaz nunca de explicarle los motivos. Díselo.

Aquella mañana Jorge Carlos fue a buscar a Fernando Resurrección, y lo encontró como cada día: abiertos los ojos, cerradas las manos y ladeada la cabeza, en el vano intento de hacer que una lágrima rodara por su mejilla, aunque sólo fuera por el mismo efecto de la gravedad. Habían recorrido ya medio país, y en la expresión de su padre se adivinaba el peor de los cansancios, el que aparece justo cuando nos damos cuenta del peso de todos —y todos siempre son muchos— los errores del pasado. Así que le tomó de la mano y le guió en silencio hasta el primer lugar en que encontraron acomodo, casi sin darse cuenta de que en el camino había atravesado un océano y que finalmente habían recalado en un país en guerra.

No recuerdo cómo llegaron —insisto—, pero de pronto estaban aquí: un argentino lunático, un pobre hombre perdido en su pasado. Yo no pude oír sus pensamientos, ni lo intenté, pero entre las personas desgraciadas se establece un vínculo que identificamos sin vacilar, no sé si a ustedes les habrá pasado alguna vez. Puede que algo parecido nos sucediera a los tres: entre los desdichados hemos de ayudarnos, no nos queda más remedio. Y eso fue lo que hicimos. No me pude resistir a la mirada perdida de Fernando Resurrección, ni al parecido de su vida con la que yo me inventé para mi propia historia, porque supongo que a pesar de tantos viajes y de tantos nombres, no habrán olvidado a estas alturas el cuento de mi abuelo arrepentido, Adelfo Trigo, que a partir de entonces se llamaría José Alfredo Trigo.

Pero aún hubo algo más que no les he dicho: no pude evitar caer rendida ante la mirada de Jorge Carlos Valentinetti porque entre tanto dolor, también reconocimos el calor en la mirada del otro. Así que a los tres días de conocernos, eso sí lo recuerdo, desaparecimos del pueblo y regresamos con la noticia de que nos habíamos casado. Era falso, pero qué importaba. Y tampoco fue cierto que desapareciésemos: sólo nos alejamos un poco, hasta la parte de atrás de la que había sido la casa de Lupe Bruna, y nos amamos en la misma ladera del monte en la que Lupe, la maestra Inés y yo descubrimos a la vez la inconfesable versatilidad de nuestros cuerpos. Más tarde, cuando en lugar de la noche nos cobijaba una cálida manta, Jorge Carlos me contó toda la historia que yo les acabo de relatar, y me confesó al oído que sólo necesitó un instante para escuchar los gritos de mi pensamiento.

—¿Y qué gritaba? —le pregunté entre risas.

—Llévame lejos de aquí, lejos de mí —respondió.

Dejé de reír, y le abracé con fuerza. Puede que aquél no fuese mi pensamiento la primera vez que le vi, puede que entonces no me atreviese siquiera a pensarlo, pero aun así sabía que ése era el segundo gran deseo de mi vida, por detrás siempre de Ernesto Placeres: llévenme lejos, lejos de aquí, lejos de mí, aunque por aquel entonces desconociera que debería emprender el viaje yo sola, con mis propias fuerzas, algo que únicamente he sabido ahora, casi después de muerta. Para que luego digan que nunca es tarde.

Jorge Carlos Valentinetti no me enseñó a escribir, pero mientras estuvimos juntos no pasó ni un instante sin que aprendiese algo nuevo a su lado. Al cabo de los años, me complace pensar que yo también contribuí a que él descubriera algunos misterios de la vida junto a mí, pero no sé si fui capaz de transmitirle todo cuanto llevaba dentro, fundamentalmente porque incluso para mí misma pasó más bien desapercibido. Ya sé que a veces me repito, y les pido disculpas, pero insisto en que así son las cosas.

No estuve casada mucho tiempo con mi segundo marido, no importa que no existieran papeles y que sólo nos uniese una farsa. La verdad y la mentira tienen a veces límites frágiles: aunque no era incierto que estuviésemos casados, nada demostraba que hiciésemos ningún mal, y tampoco nunca nos juramos amor eterno; en realidad, no nos juramos amor de ningún tipo. Jorge Carlos Valentinetti nunca me dijo te quiero, y yo no traté nunca de que él creyese que yo le amaba.

Quizá le hubiera amado, razones no me faltaban para hacerlo, pero Jorge Carlos Valentinetti vivió lo justo para cantarme tres tangos y para engendrarme un hijo. Fue niño, y lo llamé Adolfo, en honor a su abuelo —y quizás también el mío—, José Adolfo Trigo, que continuó viviendo conmigo durante años, hasta que también él se murió.

Pero déjenme que les hable de Jorge Carlos y de su mirada galante, sin la cual probablemente nunca me hubiese casado con él. Y llegados a este punto, les hablaré también de su enorme parecido, físico y artístico, con Carlos Gardel. Tal vez ése fuera el motivo por el que nunca cambió de nombre en una familia tan acostumbrada a hacerlo, y siempre llevó a gala el Carlos de su nombre, Jorge Carlos. De la misma forma, tampoco modificó el apellido Valentinetti, porque no le gustaba ninguno de los de sus padres; Resurrección y Sánchez se le figuraban un tanto vulgares al compararlos con Valentinetti, y, además, no le parecía bien deshacerse así de la memoria de su verdadera familia. En cualquier caso, desde que en cierta ocasión África le advirtió sobre su asombroso parecido con Carlos Gardel, él no admitió debate: siempre fue Jorge Carlos Valentinetti, y en su afán por parecerse al divo se lanzaba a cantar tangos a la menor ocasión, y hasta se hizo joyero por un tiempo, joyero de plata. De más está advertirles que por bien que lo hiciera, en un país cuajado de imitadores de Gardel y de cantantes de tangos, sus dotes musicales pasaron más bien desapercibidas.

Al llegar aquí, la cosa no fue muy distinta: a nosotros lo que nos gustaba entonces era la copla, pueden suponerlo. Y a mí más que a nadie, porque mi Ernesto Placeres se pasaba el día entero susurrando todas aquellas canciones que yo me aprendí de memoria de tanto imaginarle cantándolas. No deja de resultar curioso que desde que decidiera convertirme en la esposa de Jorge Carlos Valentinetti, yo también cantase tangos, aunque sólo los tres que le dio tiempo a enseñarme. Y no sólo a cantar tangos me enseñó mi segundo marido; también me enseñó cómo hacía joyas con alambre de cobre, todavía tengo guardado en un cajón nuestro falso anillo de bodas, y me busco las huellas del hilo dorado en la palma de mi mano, que fue lo que utilizó para darle forma a la alianza. Y lo más importante: me enseñó a recordar cómo los cuerpos se hablan con un lenguaje que los oídos de ningún hombre o ninguna mujer pueden escuchar. Por eso me fui con él cuando me tendió la mano, que no hizo otro gesto, sólo me tendió la mano y con la mirada me pidió que le acompañara, sin decir ni una palabra; y por eso regresé con la noticia de que nos habíamos casado. Lo llevé a mi casa, junto a José Adolfo Trigo y junto a mi hijo Lucio, y allí me dispuse a estar con él hasta que una razón de fuerza mayor me obligase a alejarlo de mi lecho. La razón a la que me refería en mi pensamiento, y eso sí que no pudo escucharlo en su mente Jorge Carlos Valentinetti, era el retorno de Ernesto Placeres, pero realmente tuve que despedirlo de mi cama con una mortaja improvisada entre la ropa de mi primer marido. Porque Jorge Carlos Valentinetti, como les digo, sólo tuvo tiempo de enseñarme tres tangos que hoy ya ni siquiera recuerdo —así de esquiva se muestra nuestra memoria— y de hacerme un hijo de auténtica casualidad, en tan sólo tres días, los mismos que necesitó para oír los gritos de mi pensamiento, devolverme la vida y entregársela a su hijo antes de morir.

Jorge Carlos Valentinetti murió setenta y dos horas después de haberse convertido en mi segundo marido, sin papeles ni misas de por medio, pero con un deseo capaz de arrastrarlo a la tumba, lo que son las cosas. Tal vez viniera enfermo de la Argentina, o tal vez al corazón le resultase de pronto imposible soportar una actividad tan frenética como la nuestra, después de permanecer tanto tiempo entregado en cuerpo y alma a la tarea de acompañar la soledad de Fernando Resurrección. Poco importa la causa, porque la consecuencia no admite discusión: murió junto a mí, poco a poco, casi sin darse cuenta de lo que sucedía; y cuando por fin lo advirtió, no pudo ocultar su asombro, muriéndose con una sorpresa tan grande plasmada en los ojos que ni siquiera los pudimos cerrar.

NUESTRO HIJO SE LLAMÓ ADOLFO DOS SANTOS, porque habiendo venido al mundo nueve meses justos después de la muerte de su padre, no pudo llevar el apellido Valentinetti, pero a cambio le heredó aquella misma mirada negra, de letra de tango, y su voz excepcional, dos cualidades que años más tarde resultaron fundamentales para salvarle la vida y preservar su buen juicio.

Adolfo dos Santos fue un niño inquieto. Acaso la culpa no fuese más que mía, empeñada como estuve en hablarle y cantarle todo el tiempo para que no se me contagiase del luto inconsolable y de mis permanentes ganas de llorar, que no sé de dónde me salieron tantas después de tan poco tiempo que pasé junto a su padre. Añoraba sus manos calientes, el gusto de su lengua dentro de mi boca, el sabor de su voz cuando me hablaba, llenas todas sus palabras de las frutas jugosas de otros mundos que acabó encontrando precisamente dentro de mi cuerpo. Extrañaba su pasión intrépida, su imaginación febril, el modo en que me amaba, y convertía cada rincón de nuestros cuerpos en un lugar sin igual en el que nunca habíamos estado, por muchas mujeres a las que hubiera poseído antes que a mí y, por más que yo hubiera hecho el amor sin pudor y sin descanso con mi Amado Santiago.

No importaba el antes, ni tampoco el después. Por no importar, ni siquiera importaba todo el presente que no cupiese entre las cuatro paredes en las que nos guarecíamos para saciar tanta hambre como traíamos atrasada los dos, un hambre de años que nos dejó incapacitados para sentir cualquier otra necesidad física o mental. Juro por Dios que no me acordé de comer, que no me acordé de mi hijo, y que aquéllos fueron los únicos tres días de toda mi vida en la que en mi mente no hubo espacio para Ernesto Placeres, ocupada como estaba en identificar los sabores de Jorge Carlos Valentinetti y de aprenderme todos los que él me atribuía. Según decía, mis párpados sabían a mango, y mis caderas a pitahaya; mis labios tenían el sabor del mangostino, mis pechos eran de puro durazno, y mi sexo le copiaba el sabor a la misma fruta de la pasión. Toda mi vida la he pasado sin probar ninguno de aquellos manjares que él encontró en cada uno de los pliegues de mi piel, mientras yo me preguntaba cómo era posible que nadie los hubiese saboreado antes, y aún ahora me pregunto cómo fue posible que nadie los descubriera después. Puede que nadie los haya probado, en realidad, porque yo misma me inventé para él, y renuncié a ser una fruta madura cuando Jorge Carlos Valentinetti dejó de acariciarme el costado con sus dedos temblorosos.

Tenía el pulso todavía acelerado, y la mirada encendida por la pasión que nos prendía fuego a los dos. Pocos minutos antes, habíamos bromeado con la idea de morir allí mismo, de infarto o de hambre, y habíamos decidido abandonar aquel encierro voluntario. Nos quedaban más días, más horas, más noches. Con suerte, quizá dispondríamos de la vida entera para saciar aquel impulso irrefrenable de alimentarnos con el cuerpo del otro, sin otros avales que la seguridad de conocernos en el blanco de los ojos. «Eso, y que los pechos te saben a durazno, —respondió a mi mente mientras los acariciaba—. Nunca he conocido a nadie con tantos sabores escondidos.» No recuerdo qué pensé al oírle hablar así. Es más, no recuerdo ni siquiera si pensé; tal vez él oyó su propio pensamiento y acto seguido me miró a los ojos.

—Pero si me muero —dijo, sin dejar de acariciarme—, si me muero... hay algo que quiero que hagas por mí.

Un escalofrío me recorrió la espalda, no supe entonces si por su ininterrumpida caricia o por la seguridad de su mirada.

—Si me muero —repitió—, no dejes que mi nombre se pierda. Si me muero, llámame, llámame por mi nombre, aunque sea de vez en cuando —volvió a mirarme y sonrió—, aunque sea con la mente, que yo podré oírte.

Desde entonces le he estado llamando con el pensamiento, que bastante fama de loca tengo como para ir murmurando el mismo nombre una y otra vez; le he llamado por su nombre, Jorge Carlos, le he dicho siempre: «Jorge Carlos Valentinetti». Pero no me he limitado a llamarle; por si no nos veía, le he hablado también de su hijo, y de los míos. Le he tratado como a un amigo que con los años se ha hecho viejo, y que ha resultado ser el único que he tenido en la vida, mi pobre Jorge Carlos, Jorge Carlos Valentinetti, cantante de tangos, aprendiz de joyero, médico mentalista que sólo fue capaz de leer con acierto lo que yo pensaba. Y con la confianza de tanto tiempo y tantas conversaciones, hasta he llegado a sugerirle que me contestase alguna vez. Nunca lo ha hecho, pero incluso ahora, cuando voy camino de hallarme tan muerta como él, mantengo las esperanzas.

Y sin embargo, yo les estaba hablando de mi hijo, de mi segundo hijo, cuya llegada a la vida tanto se pareció a la del primero, y que a punto estuvo de compartir la misma muerte. En realidad, desde que nació el pequeño Adolfo, su hermano mayor se empeñó en demostrar sus sentimientos hacia el recién llegado. Le detestaba básicamente por haber nacido, y partiendo de ese principio incuestionable, le odiaba por comer, por reír y hasta por respirar; los grandes odios, como los grandes afectos, no necesitan demasiadas justificaciones, y la misma regla imperó entre mis dos hijos.

Lucio Placeres pasó la vida callado, rumiando en silencio la amarga desgracia de ser un niño desdichado junto a otro niño feliz, y como quien busca encuentra, mi hijo mayor dio con el modo de hacer sólo suya toda aquella felicidad que se le escapaba cada vez que se encontraba con su hermano. Supongo que yo también tuve algo que ver en esa forma de ser, que mi propia obsesión terminó por contagiarlo y que el modo distinto en que afronté las muertes de los dos padres tuvo por fuerza que ser la causante del final de la historia.

Trataré de resumírselo: Lucio, que nunca hablaba, como ya les dije, lo hizo al fin un día. En voz baja, apenas audible, propuso a su hermano un juego especial que demostraría quién de los dos era el mejor. El ganador no sería otro que aquel que más tiempo resistiera escondido bajo tierra, sin agua, sin luz y sin que nadie supiera dónde se hallaba. Ganó Lucio y se llevó ese triunfo a la tumba cuando le faltaba poco para cumplir once años y todavía mostraba señales de viejas caídas en las rodillas.

No sé si tuve un buen hijo, pero sé que él no tuvo una buena madre: le lloré cada día y cada noche, y —como hice con Jorge Carlos Valentinetti— cada día y cada noche repetí su nombre, una y mil veces, «Lucio Placeres, hijo mío», una y mil veces, por si acaso alguna no me escuchaba, y aun hoy le vuelvo a pedir perdón.

Perdió la apuesta mi hijo pequeño, Adolfo, después de pasar nueve días enterrado en un agujero que cavó con sus propias manos cada noche, mientras yo dormía. Nunca se perdonó no haber sido él el ganador, esa circunstancia, y su miedo a las consecuencias que su voz pudiera acarrearle, debió de llevarle a asumir la persona de su hermano y le hizo dejar de hablar durante muchos años; y cuando lo hizo, no dejó de sorprendernos a todos con su voz.

Tal vez fuera alguna clase de enfermedad hereditaria, quién sabe, porque algo así sucedió con el habla de mi madre. También durante años, no volví a escuchar su voz y llegué a pensar que había enmudecido de veras. Me equivoqué, porque su voz sonó de nuevo el día en que nació mi hija. Tal como le ocurrió a ella, mi marido, mi tercer marido, tampoco estaba a mi lado en la cama cuando sentí los primeros dolores, pero al contrario del día de mi nacimiento, mi hija llegó al mundo en una noche sin luna en la que ningún ser vivo parecía andar cerca y despierto para ayudarme en el trance. Fernando Resurrección no tuvo mejor idea que acudir en busca de mi madre, a la que por alguna extraña razón atribuía cualidades que a los demás se nos escapaban. En un tiempo que se me figuró eterno, y que probablemente lo fue, Fernando Resurrección recorrió la distancia que separaba los dos cuartos arrastrando los pies, y con los pies a rastras desanduvo sus pasos con mi madre vestida de luto. Por el camino de vuelta le explicó el apuro en que me hallaba, y aún no habían llegado a mi dormitorio cuando empezó a lamentar su repentina decisión: nadie con esa mirada demente podría ayudarme, menos aún sacarme un niño de dentro.

Y sin embargo, no pudo resultar más certero. Como si siempre hubiera estado esperando aquel momento, mi madre recobró como por ensalmo toda su cordura. En un instante revisó toda la casa y descubrió los lugares en los que estaban los instrumentos que improvisó para el parto. Se subió las mangas de su vestido, hirvió agua, rasgó trapos, preparó mantas, toallas y sábanas; multiplicó las manos, inventó palabras para calmarme, murmuró todas las oraciones que recordaba, y finalmente, recibió a mi hija en su regazo.

—¿Está bien? —le pregunté.

Ella mantuvo silencio mientras la examinaba.

—Es una niña —afirmó.

Retiró los restos de sangre y placenta que permanecían adheridos a su cuerpo, y la cubrió con una de las sábanas que había dejado junto a la cama. Me sonrió.

—Tienes una hija preciosa —dijo, con admiración.

—¿Qué pasa, entonces? —pregunté, angustiada.

Ella encogió los hombros.

—Nada —respondió mientras me acercaba a la niña—, sólo que no es del mismo color que nosotros.

# TERCERA PARTE

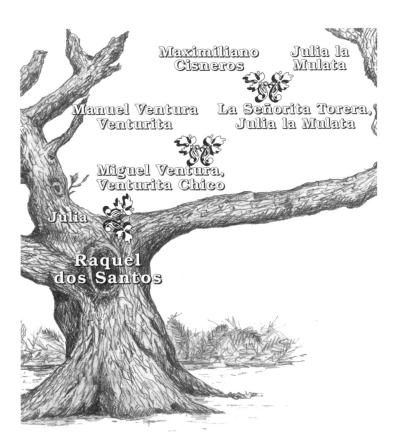

Maximiliano Cisneros — Julia la Mulata

Manuel Ventura Venturita — La Señorita Torera, Julia la Mulata

Miguel Ventura, Venturita Chico

Julia

Raquel dos Santos

**M**AXIMILIANO CISNEROS, A PESAR DE LA MAGNI-ficencia de su nombre, no había disfrutado de una vida placentera. Hay hombres que nacen sin suerte, y algo así le ocurrió a Maximiliano, que no sólo nació sin fortuna, sino que además vino a nacer sin amor. Por eso, el mismo día en que cumplió los treinta, resolvió que ya le había dado un plazo más que suficiente a su destino para enderezarse por sí mismo, y decidió terminar con un problema que, en su opinión, había durado demasiado tiempo.

Ordenó llenar la bañera con agua bien caliente y mandó además cubrir el suelo del cuarto con pétalos de rosas rojas, una excentricidad que no extrañó al servicio, dicho sea de paso. Se encerró en la habitación, y se desnudó por completo para despedirse del mundo comenzando por su cuerpo. Se contó los dedos, desde las manos hasta los pies, se palpó las costillas y se acarició el sexo, con desgana y sin esperar respuesta: no la hubo, en cualquier caso.

Se puso en pie, frente al espejo, y observó la imagen que le devolvía el azogue: la piel cetrina, los ojos tristes, los labios finos, el mentón escaso a pesar de la barba, y el pelo grasiento por exceso de ansiedad. Se encontró repugnante, no hay ni que decirlo. Levantó las manos y las acercó al cristal, pegó la palma caliente a la que se reflejaba en el espejo, inversa, fría e irreal, y trató de infundirse ánimos en el gesto. Nadie le había tocado nunca, y si alguien lo había hecho, él no lo recordaba.

—¿Qué más da? —murmuró para sí.

Continuó mirándose en silencio: se encontró delgado, demasiado velludo y corto de talla, y en un alarde de rebeldía culpó a su desdicha por impedirle crecer.

—Pero ahora, ¿qué más da? —repitió, enojado.

Él mismo preparó la espuma para afeitarse la barba; hizo desaparecer las gruesas patillas que ocultaban la mayor parte de su rostro y al verlo de nuevo no se reconoció. Concluyó la tarea, y como le sobraban tiempo y ganas, se deshizo a golpe de navaja de todo el vello que cubría su cuerpo: los brazos, las piernas, y hasta la cabeza, quedaron absolutamente rasurados. Se miró de nuevo en el espejo frío, y se sonrojó al contemplar su propia y total desnudez.

—Así está mejor —rió—. Mucho mejor.

Cuando hubo terminado su tarea, se metió despacio en la bañera rebosante de agua tibia. Cerró los ojos y suspiró. Recorrió mentalmente toda su vida hasta llegar al momento presente, suave como un bebé y cansado como un viejo, y entonces no le cupo duda alguna de su decisión.

Pero Maximiliano Cisneros, como les dije, no era más que un hombre sin suerte. Lo encontraron con el agua helada y teñida de rojo, desnudo y depilado, pero aún con vida.

—Mejor se hubiera muerto —murmuró su padre entre dientes, mientras el médico atendía a Maximiliano de aquella súbita indisposición.

Pero como no murió y la vergüenza de ocultar a un hijo demente era peor que llorar a uno muerto, la familia de Maximiliano Cisneros decidió que lo mejor sería poner tierra de por medio. Mar de por medio, todo un océano, para ser exactos: enviaron al hijo trastornado con unos parientes cercanos, a la isla de Cuba, donde suponían que los días pasaban indolentes entre el calor y las moscas, con la esperanza de que en el Caribe encontrase remedio para el mal que le afligía, o en el mejor de los casos, enfermase de cualquier fiebre tropical que resolviese al fin el problema.

Maximiliano aceptó de mala gana un viaje sobre el que no le habían pedido parecer. No salió del camarote en todo el tiempo que duró el trayecto, tiritó de frío, lloró de hambre, tembló de miedo y se juró a sí mismo que en cuanto llegase a tierra firme buscaría el mejor modo para suicidarse de veras. En esas cavilaciones estaba cuando el barco arribó a puerto: se cambió de ropa y descendió del buque, sin saber que ése era el día en que iba a cambiarle la suerte.

En el mismo muelle le esperaba Napoleón Cisneros. Amante del buen ron y de la cerveza fría, había acumulado su inmensa fortuna gracias a los ingenios y los cafetales, y tenía la firme convicción de que no había en el mundo ningún problema de hombre que no encontrara remedio entre las piernas de una mulata. Ponía en práctica esta sólida teoría consigo mismo, y los resultados siempre acababan confirmando sus argumentos; así que en cuanto su sobrino se bajó del barco, mandó llevar el exiguo equipaje a su casa de la plaza de Armas, y al pariente enfermo se lo llevó con él a donde vivía Julia la Mulata, su amante negra.

ELLA SE LLAMABA JULIA, JULIA LA MULATA, Y había heredado de su madre —como era costumbre en la isla— el nombre, la profesión y la libertad. Debía el color oscuro de su piel a la casualidad que hizo fértil a su madre justo la noche en que el hombre que la acompañaba era negro, pero a la hija un detalle como aquél nunca llegó a importunarle: ella era Julia la Mulata, y paseaba con orgullo su condición y su belleza allí donde sus pies la encaminaban, porque Julia la Mulata era la joven más bella que había pisado jamás los adoquines de La Habana, y bien que lo sabía ella misma. Lucía siempre vestidos largos de algodón blanco con encajes en el pecho, dejando entrever al trasluz lo que sólo unos pocos afortunados podían acariciar, sin necesidad de cuartos, ni de camas, ni de otros calores que no fueran los de sus cuerpos. Era orgullosa y altiva, voluptuosa y sensual, y entre sus planes no figuraba enamorarse de nadie. Pero, como habrán supuesto, el destino le jugó una mala pasada y fue incapaz de cumplir su propósito.

De su madre también heredó Julia la Mulata a su amante blanco, el mismo que aquella mañana le mandó un aviso: «Búsqueme una mulata sabrosa para sanar a mi sobrino», había escrito en un billete blanco con caligrafía impecable. Y ella cumplió el encargo, sin saber que ése era el día en que también iba a cambiarle la suerte.

Cuando Napoleón Cisneros llegó a la casa de Julia la Mulata en compañía de su sobrino Maximiliano, y ambos fueron presentados, se miraron sorprendidos.

—Es la primera vez que veo un blanco tan joven y tan calvo —bromeó ella con su voz de miel, mientras tendía la mano hacia el recién llegado.

Maximiliano aceptó el regalo que ella le ofrecía. Dejó que todos sus sentidos se concentrasen en la palma de su mano y sintió cómo la de ella se estrellaba contra la suya, extrañado de que nadie en la sala diese muestra alguna de escuchar el escandaloso sonido de aquel choque, ni el bramido de su corazón golpeando contra su pecho. Con la mano que le quedaba libre oprimió los diminutos dedos de Julia la Mulata, y los mantuvo apretados durante unos segundos, sin saber qué era aquello que le estaba sacudiendo por dentro y que le recordaba en qué lugar de su cuerpo se ubicaba toda la vitalidad perdida.

Por ignorar, Maximiliano Cisneros ignoraba incluso para qué le habían llevado a aquella casa luminosa frente al Malecón, pero sin hacer preguntas y aturdido todavía por cuanto acababa de sucederle, se dejó arrastrar a otra habitación, desde la que se escuchaban las olas romper contra el muro de piedra. Hasta allí fue conducido por la joven prostituta reclamada por su tío y reclutada por la amante de éste, pero ni su sabor ni su olor se parecían, ni siquiera remotamente, al que le atribuía a Julia la Mulata, ya suya para siempre y desde ese instante. Atribulado aún por lo que andaba sintiendo, sin aviso y por sorpresa, permitió indiferente que su compañera le arrancase la ropa con ardentía fingida y respondió a su impostura añadiendo la propia: de algún lugar olvidado recuperó viejos recuerdos, y pudo así redimirse no sólo de tantas semanas de travesía sin salir del cuarto, sino de toda una vida sin conocer la pasión; a manotadas le sacó el vestido y en volandas la llevó a la cama, seguro de haber encontrado el amor pero sin saber que en la habitación contigua era otro el que descubría en los pliegues del cuerpo de Julia, los sabores y los olores que él estuvo buscando durante horas en la piel de otra mujer.

Para no hacerlo largo, les diré que pasaron pocos días hasta que los dos pudieron encontrarse a solas, y para entonces cada uno por su lado ya había identificado qué era lo que les corría en la sangre de aquella manera, como si las venas anduvieran plagadas de hormigas inquietas. También habían encontrado la causa para la desazón que les acongojaba el pecho, y que les hacía sospechar que el aire del mundo entero se les iba a terminar de golpe. Ambos tuvieron miedo a la muerte y perdieron después el miedo a morir, porque también coincidieron en que no había nada peor en la vida que vivirla separados, y obligados a imaginar en otros cuerpos los cuerpos que deseaban, así que una mañana se cruzaron dos notas con palabras idénticas y letras distintas, en las que se convocaron en la casa frente al mar en la que vivía la mulata Julia, mantenida por Napoleón Cisneros.

Sin tiempo para la culpa y sin tregua para las ansias, sólo se permitieron un instante de reposo, antes incluso de comenzar la francachela que ambos llevaban días enteros soñando: se examinaron los ojos, oscuros los de ella, claros los de él, y trataron de interpretar lo que las miradas calladas estaban diciendo. Fue así como Julia la Mulata supo cuánto la quería él, y como Maximiliano Cisneros comprendió cuánto le amaba, y aunque no oyeron palabras ninguno se equivocaba. Pasada esa prueba, se tomaron de las manos y amarrados por diez dedos se llevaron a la cama donde ella había permanecido noches insomnes pensando en él. Sobre el colchón de plumas que Napoleón Cisneros había pagado por simple capricho, Julia la Mulata desabrochó uno por uno los botones de su camisa blanca, le quitó las botas, los pantalones y la ropa interior, y cuando le vio desnudo y depilado sobre el jergón, ella misma se despojó de la túnica de lino y algodón con la que se había vestido mientras le esperaba.

Él acarició su cuerpo oscuro y paladeó con deleite la piel salada que tantas veces había imaginado, dándole gracias al cielo porque ninguno de los sabores que le había inventado en la soledad se parecía a los que ella le tenía reservado en el hueco de su cuello, en el dorso de su mano o en el centro de su vientre. Y Julia la Mulata recorrió el cuerpo sin vello con su lengua y con sus manos, descubrió lugares hasta entonces ignorados e inventó palabras nuevas para llamarlos. Se volvieron golosos, y calmaron su glotonería en la dulzura del otro, callaron, hablaron, rieron, lloraron, prometieron y cumplieron las promesas mientras compartían sudor y placer, y cuando se sintieron saciados de hambres y ansias, salieron por fin al balcón para ver el mar y para que la brisa del Malecón les secase los restos de la orgía. Abrazados, desnudos y callados, allí se sintieron parte del mundo, como los rayos del sol que se fundían con el horizonte marino tiñendo la tarde de añil, y allí se refugió Julia la Mulata, en aquel balcón y en aquel recuerdo azulado, cuando decidió que no tomaría la pócima de salvia y hojas de papaya con la que hasta ese día había evitado ser madre.

Con el paso de las semanas, Julia la Mulata vio cómo su cintura se ensanchaba y sus caderas dejaban espacio para el hijo que llevaba dentro. En sólo unos meses, la piel le cedió, los pechos se le hincharon, se le cambió el humor y le vinieron antojos. Dejó de vestirse de blanco, apenas si salía a la calle, y pasaba las horas tumbada en la cama, imaginando sin descanso la cara de su futuro hijo y haciéndole ofrendas a Olofin para que el niño le naciese sano. La vida de la mulata se dio la vuelta por completo, y lo único que permaneció más que firme anclado a su lado fue Maximiliano Cisneros. Permaneció junto a ella semanas enteras, sin moverse de la cama, llevándole comida, calmándole los nervios, acariciándole la mano, prometiéndole una vida nueva en la que sólo cupiesen los tres.

Pero las promesas a veces son un traje que le queda grande a quien las ofrece, y así le ocurrió a Maximiliano Cisneros, que no tardó en presagiar que el futuro nuevo que le apalabraba a su amada era un poco incierto. Sus noches comenzaron a llenarse de pesadillas atroces en las que lo peor no era vivir alejado de Julia: el color de la piel, el pasado de ambos, la reacción de su familia, la carga de un hijo, cualquier pequeño detalle resultó ser a la larga un pesado lastre con el que no estaba en modo alguno dispuesto a arruinarse una vida que, de pronto, sí le apetecía vivir. Pero no crean que llegados a este punto se portó como un valiente: con el pasaje de vuelta bien guardado en su cartera se despidió de la mulata con un beso breve en los labios y sin mirarla a los ojos. Sólo antes de abandonar el cuarto se volvió para contemplarla y recordó las horas interminables que habían compartido sobre el mismo colchón, el de plumas, desde el que ella le miraba sonriente. Ninguno de los dos sabía que no volverían a verse nunca, pero al menos la mulata Julia mantenía intacta la confianza en el amor que hacía apenas unos minutos él le había jurado sentir.

—¿Vendrás pronto en la mañana, mi amor? —le preguntó Julia.

Él asintió con la cabeza y sonrió.

—Vendré pronto en la mañana —confirmó, desde el quicio de la puerta.

Julia la Mulata le lanzó un beso que él atrapó con la mano antes de salir, y por un instante fugaz sintió un pánico inmenso que le cruzaba el pecho y le impedía respirar. El amor nos regala sorprendentes percepciones, y las de ella fueron suficientemente acertadas para presentir por un momento lo que él estaba tramando a sus espaldas y en vergonzoso silencio.

—¡Maximiliano! —le llamó.

Él regresó del pasillo y la encontró incorporada en la cama.

—¿Qué ocurre ahora? —preguntó, malhumorado.

—Nada, mi amor… Sólo que, ¿de veras vendrás temprano en la mañana? —le interrogó ella.

Maximiliano se acercó a su lado.

—Vendré temprano en la mañana, lo juro —mintió. La miró de nuevo y fue justamente entonces cuando el amor, igual que el traje, también le resultó grande—. Pero si no llego a tiempo mañana, Julia, espérame. Espérame siempre: yo regresaré por ti.

Julia la Mulata nunca dejó de esperar a su hombre, porque peor aún que su abandono se le figuraba que faltase a su palabra: se había marchado, era cierto, pero había jurado volver por ellas. Y no dejó de esperarle. Cada amanecer, preparaba una maleta con la ropa imprescindible para ella y para su hija, y agarrada de su mano se disponía a aguardar que retornase para cumplir su promesa. Mantenía erguida la cabeza y recta la espalda, y sólo cuando anochecía se marchaba a la cocina para preparar la cena.

La niña se llamó Julia, como ella, pero le nació blanca y con la misma cara del padre: verdes los ojos, aceitunada la piel, finos los labios y ancha la frente; de la madre, heredó el carácter y la libertad: por eso se sintió mulata y como hizo su madre, nunca perdió la esperanza de que el padre regresara; por eso, después de muerta la mulata, cada mañana temprano, antes de hacer su tarea, acercaba su silla junto al ventanal y mientras esperaba que su padre volviese por ella, escuchaba las olas romper contra la pared de piedra y se preguntaba por qué esperar resultaba un trabajo tan cansado. Aún no tenía acertada la respuesta cuando de pronto un buen día escuchó unos pasos tras ella, y al volver la cabeza, curiosa, se encontró con su misma expresión de asombro instalada en otra cara.

—Por fin regresó —dijo la niña.

Se levantó del asiento, agarró la maleta que su madre había preparado hacía diez años y tomó de la mano a su padre sin decir más nada, dispuesta a no separarse nunca de él, aunque al final terminaría haciéndolo por decisión propia. Al cabo de unos días, Julia se decidió a contarle la historia de su madre, y fue por la boca de su hija como Maximiliano supo que la mulata Julia había muerto hacía pocos meses, ya en el barco que les llevaba de regreso a casa con la tranquilidad de que ninguna mancha empañaría la familia, y de nuevo se encerró en el camarote para llorar su desgracia.

Tal como hizo años antes en el solitario viaje de ida, Maximiliano se negó a salir, despreció la comida, y rechazó la compañía de cualquier ser humano, y cuando todos en el barco comenzaron a temer por su vida y por su frágil estabilidad mental, Julia entró en el camarote con una pequeña piedra de cobre escondida en el interior de su mano.

—No se apure, papi —dijo la niña—. Mi mamá alcanzó la vida eterna, ¿ve? —orgullosa, le mostró el pedazo de cobre brillando entre sus dedos—. Se acabó la lucha: ella está mucho mejor que nosotros, que todavía nos queda tanto por vivir.

Maximiliano la miró sorprendido y su hija continuó hablando:

—Mi mamá le rezó mucho a Oshún para que volviese pronto. Mucho. Le llevó cientos de ofrendas, todos los domingos bien temprano. Mi mamá fue una buena mujer. Siempre cuidó de mí y nunca desconfió de la palabra que usted le había dado. Así que cuando murió, y Olofin consultó con Oshún, mi mamá se volvió lluvia y regresó a la Tierra. Cuando mi mamá murió, estuvo lloviendo tres semanas seguidas, y cuando la lluvia paró, yo misma fui al río.

Julia hablaba atropelladamente. Tomó aire y continuó su relato.

—Fui al río, aunque sé que tenía que haber esperado mucho más tiempo, pero me daba igual: fui al río, como le digo, introduje mi mano en el agua, busqué a tientas una piedra, y fíjese la que saqué.

Su hija le mostró triunfante la piedra de cobre que sostenía en la mano y el padre le cerró los dedos apretándolos contra los suyos. Años más tarde, mi hija le heredó el color y el coraje a aquella niña que fue siempre inquieta y pequeña dentro de su memoria, y de cuya prodigiosa vida les hablaré más adelante.

MIGUEL VENTURA SUPO DESDE LA DISTANCIA QUE su hija había llegado al mundo; por saber, supo incluso que la criatura había nacido hembra, negra y sin dolor, y se dio tiempo para volver a su casa natal y rebuscar entre los viejos baúles de madera de roble y patas de nogal, en los que su madre había conservado todos los recuerdos, trajes, estampas y fetiches que la acompañaron en sus viajes por la vida y por el corazón. Cuando encontró lo que andaba buscando, Miguel se dio un baño caliente y se tomó una copa de champán francés que guardaban escondido tras un azulejo de la cocina para una buena ocasión. La vida entera llevaba la botella reservada en el cobijo de la pared, porque en aquella familia siempre habían pensado que el próximo acontecimiento sería incluso más memorable; así habían pasado por alto celebrar nacimientos, muertes, matrimonios, éxitos y hasta fracasos, pero a Miguel Ventura no le cupo la menor duda en aquel trance: había tenido una hija con la mujer de su vida, y ese hecho convertía en insuperable cualquier futura ocasión.

Por no estar, no estaba ni cerca de la casa que fue de sus padres. No le importó; antes aún de ir a conocer la cara de su hija, con la noche como compañera y al volante de su coche, casi voló por la carretera y llegó vivo de puro milagro justo antes del amanecer. Aguardó al sereno, y subió de dos en dos los peldaños de la escalera, como si en la casa vacía y polvorienta le esperase algo más que unos viejos muebles cubiertos por sábanas sucias. Y en realidad, así era. En el quinto piso de la calle Corona donde había pasado su peregrina infancia, Miguel Ventura había llorado amargamente por su soledad de niño, prácticamente huérfano en la misma vida de sus padres.

El padre y la madre de Miguel Ventura habían sido toreros. Toreros, han oído bien. Manuel Ventura *Venturita* paseó su diestra figura con desigual fortuna por los alberos de las plazas de medio país; manejaba con soltura la capa y la muleta, pero su mejor lance consistía en esperar al toro con indiferencia a la puerta del toril, como si en el gesto no empeñase la vida, a veces con un cigarro entre los labios, a veces dando la espalda al chiquero, y en cualquier caso desafiando a la muerte para asombro de su público y enojo de la afición más purista. Con cierta frecuencia visitaba la enfermería, y en sus sueños recordaba la luminosidad de un túnel a cuyo término le esperaban sus familiares muertos. Pero en la vida de Manuel Ventura *Venturita* aún quedaba mucho por hacer para morir de cornada. Era algo que el joven daba por seguro: por eso se arrimaba más que ninguno y afrontaba los tercios con tal gallardía que su coraje pronto fue más popular que su técnica taurina.

Comprenderán que a Venturita tanto le daba la crítica; él aspiraba tan sólo a mostrar su valor en el ruedo, y a distinguir entre las gotas de sudor que le empañaban la frente la mirada ardorosa de las muchachas que acudían a la plaza avaladas por el mantón y el abanico. Porque Manuel Ventura fue un hombre disperso, de pocas ideas, pero con dos cosas bien claras: los deseos y los sueños. Los primeros se fraguaban siempre al calor de una mujer, y los segundos tenían tan sólo una cara, la de su hijo todavía no nacido y ya heredero de nombre y afición, Manuel Ventura *Venturita el Chico*, torero de casta y de vocación que llegaría allí a donde él no llegase, y que con su clase limpiaría el buen nombre que la fama le negaba.

Amparado en ese futuro, Venturita pasaba sus días dedicado a su otra inclinación. Torero por necesidad, no sabía escribir y mucho menos contar, pero aún así aseguraba que las mujeres a las que había poseído superaban el millar, y por extraño que les parezca, era verdad. Había hecho el amor en los lugares menos adecuados para ello: a lomos de un caballo, en el arcén de una carretera de tierra, en el umbral de una casa, en la pradera de un campo, rodeado de animales o al acecho del marido de la mujer que tenía aprisionada bajo su cuerpo en aquel mismo instante. Por no hablarles de las veces que hizo el amor en la cama, casi siempre, en realidad, después de cada corrida; Manuel Ventura esperaba con ansia a la mujer de su vida, y la imaginaba siempre rezando por él en la capilla, la mirada llorosa y el alma en un puño, ignorante como sería, por su condición de mujer y por su calidad de enamorada, del hecho de que a Venturita nada malo había de sucederle mientras no se cumpliesen sus sueños.

Y lo curioso del caso es que, aunque no lo consiguió, estuvo más cerca que nadie de hacer reales ambos anhelos: tuvo un hijo e intentó hacerlo torero, y también acabó por encontrar a la que más tarde sería la madre de su hijo, pero en eso también acertó sólo en parte. La señorita Julia Cisneros era igualmente torera. No les mentiré: la señorita Julia Cisneros era mucho más torera que Manuel Ventura, por varias y fundamentadas razones, pero por abreviar les diré sólo algunas. Julia Cisneros, conocida como la Señorita Torera Julia la Mulata, era una buena torera porque en el ruedo encontró el modo de dar salida al fuego salvaje que la quemaba por dentro y que la había relegado por años a vivir instalada en el mundo de la insatisfacción.

Antes de convertirse en la Señorita Torera Julia la Mulata, Julia había conocido los mayores placeres reservados para el ser humano, y no había sentido de Julia que resultase ajeno a aquellos deleites. La vista, el oído, el gusto, y el tacto de Julia se beneficiaron del sentimiento de culpa de Maximiliano Cisneros, que nunca fue capaz de superar el abandono en el que murió Julia la Mulata y con el que creció su única hija. Durante el tiempo en que estuvieron separados, Maximiliano Cisneros terminó la carrera de ingeniero que nunca antes se había decidido a concluir, y encontró trabajo en el ferrocarril; ya juntos, y para apaciguar su memoria de mal padre y peor hombre, llevó con él a su hija Julia a todos los lugares en los que vivió. Fue así como Julia se reencontró con el mar inmenso y azul en Marsella, como se extasió con los atardeceres amarillentos de Livorno, y como conoció el pasado glorioso de Roma. Por pura pedantería comenzó a hablar italiano, se aficionó a la ópera y al bridge, pero lo que más le complacía en la soledad era leer con la luz de la tarde que no acababa nunca. Empezó a fumar y fue la primera mujer de su entorno en pilotar un automóvil; contempló la tierra a vista de pájaro encaramada a la cesta de paja de un globo que desafiaba al miedo y a la altura empujado por aire caliente, y cuando bajó de él, nada le pareció lo mismo: a simple vista, solía decir, las cosas parecen más grandes de lo que son. Pero aquella clarividencia, que en buena lógica debía de haberla inmunizado contra las fantasías humanas, no pudo salvarla de la desgracia de soñar un sueño más grande que ella.

En la soledad de su cuarto, Julia acariciaba la piedra de cobre que atesoraba el alma de su madre muerta, y mientras esperaba que la luna apareciese sobre la Toscana, escribía poemas de amor y se lamentaba de que su conciencia se negase a estremecerse con una pasión como la que recordaba que había sacudido a su madre. Conocía todas las palabras y en distintas lenguas, pero no era capaz de ponerle nombre al mal que la afligía y que le impedía ser feliz, en la cesta de un globo, en la cima de un monte, al volante de un auto, o percibiendo las miradas de admiración de cuantos hombres y mujeres se cruzaban a su paso. Porque, por si no lo he dicho, Julia Cisneros le heredó a su madre también la belleza. Es más: Julia Cisneros fue mucho más bella de lo que lo fue la mulata, pero la fascinación que despertaba no era tanto por la tersura de su cutis, su cabello sedoso o la gallardía de su caminar. Algo había en el fondo de su mirada que despertaba en los hombres las ansias de poseerla y en las mujeres los deseos de imitarla. Nadie supo tampoco explicar bien los motivos, pero no se apuren: yo se los diré. Julia Cisneros era infeliz, y en silencio y con firmeza reclamaba la felicidad que le correspondía. Era infeliz, les digo, pero era también perseverante; y con una tenacidad tan admirable como el verdor de sus ojos, no tuvo inconveniente en probar cuantas experiencias eran susceptibles de hacerla feliz. Y así fue como se convirtió en torera.

Maximiliano Cisneros hubo de regresar a su país natal para asistir a las exequias fúnebres de un familiar, y mientras duraba el entierro mandó a la muchacha a los toros, sin prever las consecuencias que habría de tener aquel gesto. En la plaza, Julia notó cómo el corazón se le encogía de puro miedo y le estallaba más tarde de la misma excitación. Sintió pena por la bestia y se tapó los oídos para no escuchar sus bramidos, pero aun así se escapó de su asiento y bajó a la barrera. Todavía podía oler la sangre del animal muerto y el sudor de los toreros que permanecía impregnado en el ambiente, junto con su aroma a miedo. Se coló en el coso y se entretuvo pisando la arena, buscando las huellas, lamentándose de su suerte, hasta que el alguacil la sacó del albero, con la sonrisa en su rostro y la decisión en su mirada.

Sólo les diré una cosa: después del funeral, Julia Cisneros no regresó a Italia. En sólo unos meses, recorría con habilidad pasmosa las plazas toreras con una pequeña montera sobre la cabeza y un enorme peso encima de los hombros. Y así fue como Julia Cisneros se convirtió en la Señorita Torera Julia la Mulata, torera valiente y meticulosa que se puso el nombre en honor a su madre, que entornaba los ojos para no ver el tormento del toro y que se sentía revivir cada vez que era capaz de vencer en el acto su pena y su miedo, y hacía real al mismo tiempo su deseo de sentirse viva y satisfecha.

Cuando Manuel Ventura la conoció, recordarán, ella era mejor torera, pero él pasó por alto los celos profesionales amparado en el ardor de su mirada. No tenía nada que ver con lo que él había aguardado la vida entera, pero igual se creyó enamorado. Julia Cisneros, la Señorita Torera Julia la Mulata, no poseía ninguna de las virtudes que había esperado encontrar en su futura esposa, pero el día en que se conocieron no pudo menos que rendirse a la evidencia.

La contempló durante el paseíllo, enfundada en su traje de maestra; la observó dominar la muleta, citar al toro, escupir en tierra, cerrar los ojos. Desde la barrera la vio sentir pena del animal, acariciar una piedra dorada que le asomaba del pecho, y matarlo de una estocada certera sin que le temblase el pulso. Entonces notó cómo algo se le escurría por dentro, desde los ojos hasta la boca del estómago, formándole un nudo trabado que impedía que el aire y la angustia pasasen por él.

Comprenderán que se sintiera inquieto. Se revolvió en su asiento. Desasosegado, trató de fijar su atención en otros lugares, en otras personas, en el rumor de la plaza, en el brillo del clarín, en el grana de las capas o en el filo cortante del viento. De nada le sirvió: su curiosidad por ella tenía ya vida propia y sus ojos reclamaban ser testigos de cada uno de sus gestos, so pena de cegar de golpe. Se rindió a la evidencia, pobre Venturita, y la vio entonces olfateando el aire, como buscando en la brisa algo que se le escapaba, igual que él mismo había hecho en las tardes que el cuerpo se le quedaba pequeño para tan grandes deseos. Asustado, trató de luchar sin moverse de su asiento, pero cuando al fin la vio sonreír, abandonó la pelea: la guerra estaba perdida.

Manuel Ventura era un hombre osado, por eso la rondó sin miedo al rechazo. Tuvo suerte. Julia Cisneros estaba acostumbrada a que los hombres sucumbieran ante su mirada sin darle la menor oportunidad de demostrarles que en el fondo lo único que pretendía era que alguien la quisiera. Se había cansado de inventar explicaciones que nadie le pedía, y de enredarse con hombres que aceptaban la impostura que ella misma ofrecía: sin palabras, sin promesas, sólo dos cuerpos y una cama de por medio, que de mujer, les decía, sólo es el envoltorio. Así pues, la tarde en que Manuel Ventura la invitó a merendar y pidió para los dos pasteles de nata y champán francés, ella tuvo la primera tentación de dejarse cuidar por él la vida entera. Como la niña golosa que era, Julia se comió la crema y con un guiño cómplice dejó el hojaldre para el caballero; bebió a pequeños sorbos el contenido de su copa y se admiró de la talla del cristal de bohemia del vaso, siempre rebosante de bebida. No era la primera vez que probaba el champán, que ni siquiera alcanzaba la calidad que prometía; tampoco era la primera vez que compartía merienda con un hombre, e incluso había gozado de compañías mejores. Nada convertía aquella tarde en mejor que las demás: ni la luz, ni el ambiente, ni la conversación, pero cuando ambos quisieron darse cuenta, la noche ya estaba instalada en la calle. No les importó. Siguieron sentados en el rincón de la confitería, bebiendo champán, comiendo tortas de nata y compartiendo confidencias como si después de esa tarde no hubiera más horas para conocerse.

Por si así era, Manuel Ventura se dejó caer en el respaldo de su silla y mantuvo fija su atención en la lámpara del techo; se entretuvo contando sus lágrimas de cristal, una a una, mientras se preguntaba cómo era posible que una mujer como Julia estuviera a su lado, repartiéndose con él los pasteles de nata de aquella forma inocente y descarada, lo sabroso para ella, lo soso para él, sin que le importara la ofensa. La miró de nuevo. Mostraba las mejillas encendidas y un brillo alcohólico en la mirada, y mientras devoraba los pasteles sin dejar de hablar, Manuel Ventura Venturita tuvo la certeza de que aquélla sería la lidia más dura y más larga que habría de acometer en la vida, y pueden creer que acertó.

—¿Qué miras? —Julia encogió los hombros y adelantó el cuello al formular la pregunta.

Él intuyó el hueco que formaba su clavícula en el centro de su cuello. Deseó colarse por ese hueco, arrancarle el vestido, la capa de armiño, rasgarle los botones del traje de lana roja y paño, y untar su desnudez con la misma nata que ella se estaba comiendo en ese instante.

—¿Se puede saber qué estás mirando? —Julia repitió la pregunta, pero no renovó el gesto.

Manuel Ventura le arrebató de entre los dedos el medio pastel que ella estaba a punto de comer.

—Te miro a ti —él la observó, fijamente, con valentía torera.

—¿Y qué es lo que ves?

En la interrogación de Julia hubo una especie de desafío que Manuel Ventura supo aceptar. La miró de nuevo, antes de dar la respuesta que, estaba seguro, decidiría su suerte. Ella respiraba inquieta.

—A mi mujer —respondió finalmente.

Julia dudó un instante antes de mostrar su parecer ante aquella velada propuesta, pero por segunda vez en la misma noche sintió unos irrefrenables deseos de apoyar su cabeza en el hombro de él, y de permitir que fuese aquel hombre el que la cuidara todos los años que le restaban por vivir. Decidió que aquélla era una señal al menos tan fuerte como la que le envió su madre entre la lluvia y el río cuando le hizo llegar la pequeña piedra de cobre, así que dejó a un lado la timidez y adelantó su mano por encima de la mesa hasta rozar la de él. Venturita acarició con sus dedos ásperos los suaves dedos de ella, y permanecieron en silencio un rato, por primera vez desde que tomaron posesión de aquella mesa en el rincón de confitería.

Cuando salieron del local, horas más tarde, Manuel Ventura ya había decidido por los dos todo cuanto sucedería en los próximos años, y Julia caminaba despacio, aferrada a su brazo con la cabeza recostada en el hombro del que sería su marido en sólo unos meses. Se sentía algo achispada por el alcohol, y con la entereza suficiente para afrontar el destino que ambos acababan de sellar con la seguridad de haber alcanzado un sueño. Los dos sonreían felices: no eran capaces de sospechar qué poco tiempo les iba a durar la fantasía.

—Te voy a querer mucho —le miró y recostó de nuevo la cabeza en el hombro de su galán. Le gustó caminar así, apoyada en él, y deseó que aquella plácida sensación no fuese más que el preludio de lo que estaba por llegar—. Mucho —repitió con más buena voluntad que franqueza, y para compensar el engaño se aproximó a él y apenas rozó sus labios con los suyos. Los dos sonrieron al separarse: creían haber alcanzado el mayor de sus anhelos. De más está que les diga que ambos se equivocaban.

La boda se celebró un año después de la cita en la pastelería, y para entonces tanto Julia como Manuel habían comenzado a cuestionarse la decisión; incluso así cumplieron con la palabra dada, e iniciaron una vida juntos fruto de la cual vino al mundo un hijo y una desdicha infinita, de la que ninguno de los dos supo nunca cómo desprenderse.

Para colmo de males, Julia quedó embarazada la misma noche de bodas. El problema adquirió magnitudes angustiosas, y para enmendarlo tomaron decisiones rápidas en las que trataron de solucionarlo con su reducción a la nada: nada de conversación, nada de compañía, nada de sexo. A ella le disgustaba su aliento, a él le mortificaba su frialdad, a los dos les irritaba la simple presencia del otro y en cualquier otra persona encontraban alivio para el desastre en que se convertían sus vidas con pasos de gigante. Así fue como Venturita se arrimó más que nunca a los toros que le tocaron en suerte, y visitó más prostíbulos de los que podría repetirles en el tiempo que nos queda. Julia gestó el embarazo lamentándose de su suerte, alternando un odio inmenso con un profundo amor. Por momentos despreciaba al ser que llevaba en sus entrañas y que la condenaba de por vida a permanecer al lado del monstruo que para ella era su esposo, y poco después acariciaba su vientre abultado sintiendo cómo un amor que parecía ser más grande que ella la desbordaba por completo, se le escapaba del cuerpo y la transportaba a un estado de paz que no había sentido antes, y que tenía la virtud de conseguir que nada de su penosa vida pareciera importante. Con cualquiera de aquellos contradictorios sentimientos, imaginaba constantemente la cara de su bebé, el color de su piel, la calidad de su alma, y mantenía con él conversaciones inacabables en las que le contó todos los detalles de su vida y de sus antepasados, para que no repitiera sus mismos errores. Y para que el niño tuviera mejor suerte adquirió la costumbre de rezar a Oshún y entregarle ofrendas que calmasen su ira. También le buscó nombres, porque desde el principio rechazó de plano la idea de que su hijo llevara el mismo nombre que su vil marido.

Julia Cisneros tuvo un hijo, y todavía envuelto en sangre y líquido untoso, examinó cuidadosamente sus modos y sus formas: olió la piel ensangrentada, probó su sabor, le contó los dedos y le midió la profundidad de los ojos. No era mulato ni siquiera en el espíritu, pero sería un buen hombre: por eso le puso Miguel, por eso y por similitud con el nombre del padre, todo hay que decirlo, y se dispuso a sentir durante toda su vida el mismo cariño inmenso que desde ese mismo momento le mantuvo el alma encogida en el pecho. Llegados a este punto, les advertiré que Julia Cisneros había encontrado un amor idéntico al que sintió su madre y que ella pasó la vida buscando, pero tan segura estaba de descubrirlo en un hombre que ni cuenta se dio de que ya lo tenía dentro.

Julia Cisneros tardó años en asimilar lo que les acabo de contar tan brevemente, y para entonces se había resignado a pasar una vida infeliz en una casa enorme llena de muebles y de silencios. De sus antiguos hábitos quedó tan sólo el de leer cada tarde el periódico mientras comía pasteles de nata y bebía champán para merendar, a pesar de que en su gris existencia poco hubiera digno de ser festejado. Nunca perdió la esperanza, y fue precisamente ella quien escondió la mejor botella tras una baldosa de la cocina y con un guiño cómplice emplazó a su hijo Miguel para disfrutarla en una buena ocasión; también fue Julia quien lo educó en la certeza de que tarde o temprano llegaría el día en que podría descorchar aquella botella de selecto espumoso.

—Pero acuérdate de mí entonces —le rogaba, sonriendo.

El optimismo le alcanzaba sólo para presagiar la fortuna de Miguel, porque por acostumbrarse, incluso se había acostumbrado a la triste muerte de sus viejos sueños, y fue hasta capaz de asistir sin derramar una lágrima al entierro de la antigua Julia, la misma que esperaba con ansia un futuro lleno de amor y que sentía latir en su interior un espíritu aventurero que fue, a la postre, lo que le salvó la vida. No crean que desvarío. Julia Cisneros había nacido con un destino marcado, no en vano su madre se había esmerado con sus rezos y sus ofrendas a los santos africanos; aun así, Julia intentó acomodarse a la realidad que en cierta forma ella misma había escogido, pero no hubo modo. Por culpa de aquella infelicidad infinita, Julia enfermó de mil males y acarició la idea de la muerte en más de una ocasión, pero en el último momento le fallaba el valor o se quebraban sus fuerzas, y postergaba la decisión para un día más tarde; fue así como vivió lo suficiente para conocer a Juvenal Domínguez.

JUVENAL DOMÍNGUEZ ERA UN HOMBRE DÉBIL DE complexión pero fuerte de carácter, dos condiciones que le ayudaron a destacar en un mundo dominado por hombres con sus mismas cualidades pero en el orden inverso. Juvenal no había visto en su vida a Julia Cisneros, con la que compartía la afición por la aventura, la ciudad de residencia, el gusto por la lectura, y la pasión desmedida por los pasteles de nata. El mundo es un lugar repleto de coincidencias, pero sólo en ocasiones se conjugan del lado de los que en verdad precisan de la buena suerte, como les ocurrió a ellos dos: créanme si les digo que la coincidencia fue la que les llevó a frecuentar la misma confitería y la glotonería compartida, y a escoger el mismo pastel de nata expuesto en el mostrador.

Ella lo identificó instantáneamente. Tampoco lo había visto antes, pero reconoció sin dudar la fotografía que acababa de curiosear en el diario y que acompañaba la noticia del primer vuelo de una nave aerostática que se elevaría sobre el cielo de aquella ciudad. Lo reconoció, les digo: los ojos demasiado separados, las cejas finas, la expresión sorprendida, el cuerpo enjuto y la mirada febril que había traspasado el papel del periódico y ahora la observaba frente al anaquel de la pastelería.

—Por favor, señora —Juvenal Domínguez señaló con sus dedos huesudos el pastel de nata. Julia Cisneros no cesaba de mirarle, y se vio obligado a continuar—, Juvenal Domínguez, a su disposición.

Julia Cisneros sentía la imposibilidad física de separar sus ojos de los de Juvenal Domínguez. Ella lo ignoraba, pero había empezado a acusar los primeros efectos de algo que poco más tarde iba a arreglarle la vida.

—Inventor y aventurero —prosiguió él.

—Lo sé —Julia apenas habló en un susurro, pero aunque no lo crean, fue lo suficiente como para que él escuchara al mismo tiempo el sonido de su voz y el estremecimiento de su corazón.

—¿Cuál es su nombre, señora? —preguntó el aventurero.

Ella le respondió en voz baja: «Julia Cisneros»; él le cedió el dulce que les había enfrentado en aquella tarde, y después cada uno regresó a su mesa: Juvenal Domínguez con sus compañeros de inventos, Julia Cisneros con su hijo de seis años. No volvieron a mirarse, pero Juvenal Domínguez no descansó hasta que descubrió la identidad de la dama y se topó con su pasado torero. Aprovechó la coyuntura que la suerte le brindaba, removió Roma con Santiago para que a la tarde siguiente la Señorita Torera Julia la Mulata fuese una de sus acompañantes en el vuelo en dirigible. Sólo para complacer a aquel público expectante, Juvenal le había robado la idea original a Arquímedes y la patente del invento al alemán Zeppelin, pero cuando el impresionante y enorme artefacto comenzó a elevarse con él, con Julia Cisneros y una docena de selectos ciudadanos a bordo, desafiando a los vientos y al espanto de la gente que les observaba desde tierra firme, a lo único que aspiraba Juvenal era a quitarle la esposa a Manuel Ventura.

—Yo ya he subido antes en un dirigible, en Italia, donde viví muchos años, antes de casarme —reveló Julia Cisneros cuando en el suelo no había más que un tapiz de manchas sin formas—. Usted no es el autor de este invento.

Juvenal rió con ganas.

—Qué más da, señora. Ya hemos cambiado de siglo. Y además, usted debería saber que no cuenta quien descubre las cosas, sino quien las valora de veras como para hacerlas suyas.

Julia Cisneros le imitó en la risa.

—Tiene usted razón —convino, asomada a uno de los ojos de buey y sin perder de vista el horizonte.

Juvenal la observó. Era varios años mayor que él, y había perdido parte de su lozanía con el trajín del embarazo y de su propia desdicha, pero él no la había conocido cuando era obligado volver la cara al verla caminar, ni cuando Julia Cisneros atesoraba toda la belleza caribeña heredada de su madre, así que aquella tarde a bordo del dirigible tuvo la certeza de hallarse ante la mujer más hermosa con la que se había cruzado nunca. Se sintió acobardado por el verde de sus ojos, y la evidencia de que nunca llegaría a poseerla comenzó a oprimirle el pecho.

—¿Qué le ocurre, Juvenal? —Julia le cogió la mano—. Está usted pálido…

—Debe de ser la altura —mintió—. Aún no me he acostumbrado a volar tan alto.

Trató de disimular las secuelas que el amor le estaba dejando, y le rogó a su compañera que le conta-se alguna historia para entretener su mal, una triquiñuela absurda para poder oír su voz sin interrupciones y para conocer en una sola sesión todo su pasado. Y cuando el ingenio por fin tocó tierra, mientras observaba a Manuel Ventura de la mano de su hijo, esperando a su mujer, Juvenal Domínguez tuvo la seguridad de haber estado equivocado antes de que el vuelo se pusiera en marcha: creía haberla adorado ya entonces y no era cierto. Era ahora, después de haber escuchado en la historia de la Señorita Torera Julia la Mulata los sonidos de la vida de su propia boca, cuando de verdad la amaba. Se sintió atravesado, herido de muerte —aunque les parezca cursi— al verla partir. Él, que había recorrido todos los continentes en cualquier aparato que pudiera moverse sin sentir temor, que había visto con sus propios ojos las miserias del hombre, que había ideado algunos de los artilugios que forjarían el progreso del siglo veinte, y que se atribuía impunemente la autoría del resto de los inventos, que había sobrevivido a fiebres, a guerras, y a catástrofes naturales, era ahora incapaz de seguir respirando si a su lado no estaba Julia Cisneros, acompañándole con su aliento.

El hecho de que fuera la mujer de otro tampoco le servía de gran ayuda, como pueden suponer, pero en el amor no hay quien mande, y Juvenal Domínguez ni siquiera intentó gobernar en el suyo. Más bien al contrario, lo dejó ir a su libre antojo, y el muy traidor aprovechó esa libertad para acabar escapándose siempre a la confitería en la que habían coincidido por primera vez, con la esperanza de que la casualidad volviese a acercarles y con el consuelo de, en el peor de los casos, al menos sentirla cerca.

Juvenal detuvo todos sus proyectos y retrasó todos sus viajes con el único propósito de conquistarla, seguro como estaba de que era aquélla, y no otra, el amor de su vida, feliz de haberla encontrado a pesar de las adversas circunstancias que les envolvían. Pasaron años, años enteros que Juvenal Domínguez soportó a base de llantos, alcohol y pasteles. Engordó diez kilos, afrontó los chismes, aparcó los planes y abandonó a los amigos con la única recompensa de verla de cuando en cuando, y de compartir con ella dulces y confidencias en las que nunca se hablaba de amor. Pero la paciencia es un don limitado, por mucho que intentemos prolongarla, y finalmente no le quedó otro remedio que rendirse a la evidencia.

Preparó un viaje que suponía definitivo, y que de hecho lo fue, y se dispuso a no regresar jamás a aquel lugar, con la convicción de que el tiempo y la distancia le ayudarían a olvidar que en el mundo existía una mujer como Julia Cisneros, capaz de mirarle fijamente a los ojos sin ningún temor, de compartir con él secretos endulzados con pasteles de nata y champán, y de tratarle con una complicidad infinita, sin ser consciente de que en cada uno de sus gestos le volvía del revés el alma como si fuera de goma.

Le anunció su intención de marcharse en la pastelería, y enmascaró la repentina partida con el pretexto de un nuevo trabajo que le reclamaba en otro lugar, pero después de tanta sinceridad entre los dos, la mentira se le descolgó de los labios con tanto estruendo que Julia Cisneros no pudo reprimir su risa, a pesar de la inquietud que comenzaba a instalarse en su corazón.

—Dígame la verdad, Juvenal.

Él la miró y decidió que un amor como el que sentía no podía quedar enturbiado por un embuste, aunque fuera sólo en su memoria.

—¿De verdad quiere saber por qué me marcho?

—Por supuesto que sí —Julia Cisneros incorporó la espalda en el soporte de su butacón y aproximó su rostro al de Juvenal—. ¿Cree que me voy a conformar con un engaño a estas alturas?

—Está bien. Usted lo ha querido.

Él la miró y tomó aire antes de seguir hablando. Julia le apremió con dulzura, «por favor, siga, siga, Juvenal», y con el eco de su voz prisionero en sus oídos, él continuó:

—Me marcho porque no puedo vivir sin usted, porque he detenido mi vida para estar a su lado y no puedo resignarme con lo que tengo —señaló a su alrededor, con un gesto que revelaba su impotencia—, la necesito conmigo, pero no así, no de esta manera, porque me voy a volver loco.

Los dos guardaron silencio unos minutos que multiplicaron su duración, y cuando estaban sólo a un paso de convertirse en eternos, Julia Cisneros cambió de postura. Se reclinó en el asiento y miró directamente a la cara de Juvenal Domínguez.

—No se vaya, Juvenal, se lo pido por favor.

—Eso es imposible. Ya lo tengo decidido.

—Entonces no se vaya solo: lléveme con usted —y fue entonces cuando Julia Cisneros sonrió, y en unos instantes adquirieron sentido las viejas oraciones que su madre entonó durante años para garantizarle la felicidad.

Tal como había ocurrido tanto tiempo atrás, en la pastelería quedó resuelto cuanto habría de suceder, pero en esta ocasión fue Julia Cisneros la única que decidió su suerte, incluida la mala. En aquel viaje sin retorno, no quedaba sitio para su hijo Miguel, y ella misma tomó esa determinación sin moverse de la silla, consciente como era de que, en un mundo dominado por una pasión tan tremenda y atrasada, no tenían cabida dos amores como aquéllos, uno por un hombre y el otro por un niño. Así que lo abandonó al uso de las malas madres, aunque Julia Cisneros no fuera tal ni tampoco ésos sus sentimientos: con un beso en la frente mientras el chico dormía. Casi fue un milagro que el rumor apagado de sus sollozos y la dolorosa humedad de sus lágrimas no despertasen al niño en el instante de la despedida. Pero Miguel Ventura no pudo percibir en sueños la amargura que estaba matando a su madre, precisamente en el momento en que se disponía a iniciar el camino de la felicidad; y cuando al fin abandonó la cama a la mañana siguiente, eran otros los murmullos que le habían despertado.

Salió del cuarto todavía con las señales de las sábanas de hilo cruzándole la cara, atestiguando su sueño, adormecido aún pero intrigado por el eco apagado de las palabras pronunciadas a media voz y el sonido hueco de las palmadas de consuelo sobre el hombro de su padre. Imaginó la escena aterrorizado, buscó a su madre con la mirada y al no encontrarla temió lo peor. Se intuyó un niño demasiado pequeño para sentir tanto miedo, y para conjurarlo, mientras enfilaba el pasillo que conducía al salón donde Venturita se mesaba los cabellos con la cabeza hundida entre sus manos, se dio tiempo para paladear todos los dulces de nata que había compartido con su madre hasta la tarde anterior; y con aquellos gustos sabrosos dentro de la boca le pareció que el terror retrocedía sobre sus pasos. Le pareció incluso que la risa de su madre resonaba clara en otra habitación, y se juró que de ser verdad dejaría de hacer novillos en el colegio, cedería a su madre el mejor sitio en la confitería, sería más amable con el inventor Juvenal Domínguez y hasta se haría el ánimo de convertirse en torero, como su padre quería. No es menester que les diga que su infortunio le eximió de cumplir todas y cada una de aquellas promesas.

Miguel Ventura era un niño demasiado pequeño para aquel dolor tan grande; no hizo falta que nadie le pusiera voz a lo que andaba temiendo: por eso, cuando entró en la habitación llena de humo y silencio, no se le ocurrió mejor lugar para cobijar su angustia que en el regazo de su padre. Venturita, que a esas alturas, y con razón, hacía a su mujer en brazos de otro, bastante tenía con dominar los impulsos de correr tras ellos para darles a los dos la muerte que merecían. Miró a su hijo sin verlo, y lo apartó de su lado sin más contemplaciones.

—Miguel, déjate de mariconadas, por el amor de Dios —gruñó Venturita sin levantar la mirada del suelo—. Tienes ocho años: ya es hora de que empieces a portarte como un hombre, así que no lloriquees. Tu madre tiene lo que se merece. Está muerta. Muerta y enterrada. Se ha ido para siempre. Ahora tiene lo que quería, y nosotros no vamos a volver a pensar en ella nunca. Ella se lo ha buscado.

Miguel Ventura no le hizo caso a su padre. Ni en esta ocasión, ni en ninguna otra en su vida, pero vayamos por partes. Después de escuchar aquellas palabras corrió hasta el desván, donde su madre solía pasar horas rebuscando en los baúles y escribiendo en

142

su diario, y donde su aroma todavía permanecía en el aire, como si acabase de marchar. En cierto modo, así era: Julia Cisneros pasó toda la noche encerrada en aquel cuarto oscuro y lleno de recuerdos, emborronando los folios en los que trató de explicar a su hijo las razones de su marcha, pero podrán ustedes imaginar que las palabras se quedaron sin sentido cuantas veces intentó enumerar todos los motivos de aquella huida.

Por más que lo se lo propuso, no fue capaz de plasmar por escrito la angustia de las noches vacías, llenas de besos sin gusto y de preguntas sin contestación. Le pareció innecesario hablarle del calor de la sangre y de la humedad del cuerpo, de la certeza de que el hombre que había empezado durmiendo a su lado en la cama, y que había terminado en otra habitación al final del pasillo, nunca sería capaz de saciar ninguna de las hambres que le corroían el alma. Aun así trató de describirle de qué forma había deseado amarle desde aquella tarde en la pastelería, y quiso también confiarle la inquietud de no haberlo conseguido; no intentó ni siquiera dejar constancia de su sentimiento de culpa, y mucho menos del de insatisfacción. Durante horas estuvo mirando absorta el folio en blanco, y en todo ese tiempo lo único que pudo escribir sin temor a equivocarse ni arrepentirse de hacerlo fue el nombre de Juvenal, una y otra vez, «Juvenal, Juvenal, Juvenal». Pero también se hizo cargo de que su hijo no sería capaz de comprender entonces que aquel hombre flaco y extravagante con el que parecían coincidir en todas partes, y que se fingía el autor de cuantos prodigios le venían a la memoria, había inventado al fin la mejor de todas sus maravillas: el amor verdadero para ella, el amor justamente con la misma forma que ella lo había soñado la vida entera.

Vestida para el largo viaje, Julia Cisneros había sentido la necesidad de que su hijo supiera que le llevaría con ella donde quiera que llegase, pero no quiso pedirle perdón. Y cuando el alba estaba a punto de llegar, había alineado las hojas blancas y las había dejado en el fondo del cajón de donde las había sacado en una vida anterior. Se había puesto en pie, estirado las piernas, y alisado el vestido, y con el dorso de la mano se había enjuagado el llanto antes incluso de que las lágrimas afloraran a sus ojos, con el corazón partido pero con la firme determinación de rendirse a aquella oportunidad de ser feliz.

Había buscado a tientas entre los baúles del desván, y cuando al fin encontró lo que andaba buscando, lo había empaquetado con cuidado en un envoltorio de papel de seda todavía con restos de merengue en las esquinas. Lo había dejado con cuidado sobre la mesa en la que había enseñado a su hijo Miguel a escribir su nombre, cuando el niño era tan pequeño que para llegar al escritorio tenía que sentarlo sobre sus rodillas. El tiempo se había vuelto del revés en aquel instante: había sentido el peso leve del chico sobre sus piernas, había escuchado su risa infantil, el sonido de la pluma al rasgar el papel; limpió las manchas de tinta azul de sus dedos minúsculos, le revolvió el cabello y el olor al pelo limpio volvió a conmoverla, como en aquellas tardes que nunca olvidaría. Acercó los labios a su cabeza y rozó un mechón negro con un beso breve. «Te quiero mucho, Miguel», le dijo. El niño ladeó la cabeza para mirarla. «Te quiero mucho, y te voy a querer siempre». El niño Miguel Ventura le sonrió. El tiempo se volvió real de nuevo, pero con aquella sonrisa todavía prendida en su retina, Julia Cisneros abandonó el desván con la confianza de que, pasados los años, su hijo sabría entender el sentido de su despedida.

Así que aquella madrugada, muchos años después, Miguel Ventura *Venturita Chico* trepó por la escalera de su antiguo hogar con la prisa de quien sabe bien qué es lo que le está esperando. Entró en la casa sin detenerse a comprobar el penoso estado de los muebles, las paredes o los cuadros. Directamente subió hasta el desván, y no descansó hasta dar con el mayor de todos los regalos que había atesorado en la vida. Desenvolvió con precaución el paquete, y se cuidó de no rasgar el papel de seda de la confitería que había permanecido intacta durante tres décadas; retiró el envoltorio, y la piedra de cobre que aprisionaba el espíritu de su abuela, la verdadera Julia la Mulata, apareció ante sus ojos de la misma manera asombrosa en que solía hacerlo mientras duró su niñez. Todavía recordaba a su madre, tersa la piel, hundidos los ojos, reprimido el llanto, acariciando el mineral y entonando viejos salmos en una lengua ininteligible. Él la interrogaba siempre sobre las historias de su abuela, la negra Julia: quería saber del olor de su piel, de su cadencia al hablar, del movimiento de sus caderas cuando caminaba por el Malecón, y por encima de todas las cosas, quería que su madre le mostrase la imagen de la suya.

«Nunca nos hicimos fotografías —Julia intuía la siguiente pregunta del chico y se adelantaba con la respuesta—. Siempre pensamos que habría tiempo, y ya ves que no lo hubo. Por eso te digo que has de aprovechar en seguida cualquier oportunidad que te dé la vida.»

Miguel la miraba, entristecido: «¿Cómo puedes recordarla? Hace tanto tiempo que no la ves...».

«Porque los verdaderos recuerdos están en el corazón, no en un papel. Yo recuerdo a mi madre porque recuerdo su risa, sus bromas, sus charlas, su forma de ser. Mi madre fue una gran mujer, ojalá la hubieras conocido —le había dicho ella, con la piedra entre sus dedos—. Siempre estuvo conmigo, aun después de muerta. Fíjate —le mostró lo que tenía en la mano—. Aquí dentro está su espíritu: aquí está el alma de una mujer libre y orgullosa, que siempre supo luchar por lo que de verdad importaba.»

Miguel se mantenía en silencio, esperando la continuación de aquella inesperada confidencia. «Lo que de verdad importa es el amor. El amor es lo único que importa, escúchame bien, y no lo olvides nunca, porque ahora eres pequeño y no lo puedes entender, pero cuando crezcas lo comprenderás. El amor es lo que importa, el amor que sientas por los demás y también el que sientas por ti mismo. El amor te hará grande, pero también te hará pequeño, y cuando creas que no te queda nada, te darás cuenta de que estabas equivocado, si todavía te queda algo de amor. El amor te hará creer que eres invencible y después te demostrará que no eres más que un patético perdedor, y entonces pensarás que el amor no es más que una estúpida mentira, y probablemente te enfadarás y te sentirás engañado. Pero, escúchame bien, Miguel: en el amor hay que creer, porque si no es como si ya estuvieses muerto.»

Julia le miraba de nuevo, esta vez con ternura, e insistía en la súplica: «Recuerda bien lo que te acabo de decir. Recuérdalo toda la vida, sobre todo cuando yo no esté a tu lado para repetirlo.»

Miguel Ventura sintió frío. Llenó la bañera con agua caliente y abrigado por el calor que le brindaba la artesa trató de contener las lágrimas. Alzó la copa de champán y brindó con la imagen de su madre proyectada sobre la pared del baño; apuró la bebida de un trago y se convirtió de nuevo en un niño demasiado pequeño para tan gran desconsuelo. Pensó en su hija recién nacida, en la mujer a la que más amaba en el mundo y que era incapaz de corresponderle, y se compadeció de sí mismo, porque la felicidad que sentía hacía aún más doloroso el desastre de su vida. Deseó que su madre estuviera de verdad a su lado, para exorcizar su pena y compartir su dicha. «El amor es lo que importa», le habría dicho la Señorita Torera, revolviéndole el cabello que empezaba a estar salpicado de canas. «Aunque no siempre sea suficiente», protestaría Miguel Ventura en voz baja. Y para darse ánimos, acarició la piedra de cobre y bautizó a su hija en ese mismo momento, con el espíritu de su abuela jugueteando entre sus dedos y la visión de su madre acompañando su soledad. La llamó con el pensamiento, y con el pensamiento pronunció su nombre, y pronunció su deseo con el pensamiento: «Julia Ventura. Que el amor sea lo que más importe también para ti».

CUANDO MIGUEL VENTURA *VENTURITA CHICO* conoció a la que tiempo más tarde sería su mujer, no supo reconocerla. A pesar de la torería de su nombre, Miguel Ventura *Venturita Chico* jamás toreó ningún toro, y se ganó la vida como ingeniero. De esta forma, había pocas cosas de las que el ingeniero Ventura se encontrase tan seguro como de los efectos físicos que el amor —el verdadero amor, se entiende— tendría sobre su persona. Las secuelas de un amor como el que él sentía serían capaces de situarlo al borde de la misma muerte y de acomodarlo en ese lugar; la sangre se le volvía loca, el corazón multiplicaba el ritmo de sus latidos, perdía el control de sus dedos, de sus nervios y de sus sentidos, y cuando estaba a un paso de darlo todo por más que perdido, de algún lugar de su alma le eran devueltos el ánimo y el buen juicio, en las medidas justas para conseguir, nadie sabía cómo, que la elegida de su corazón no tuviese más remedio que rendirse a la evidencia: se habían enamorado.

Así era como ocurría en las novelas que leía a escondidas y como le gustaba imaginar que viviría su madre; y así fue como se enamoró cada vez que tuvo la buena fortuna de que el cuerpo reconociese antes que su corazón a la mujer de sus sueños. Y resultaba cierto. Créanme si les digo que Miguel Ventura amó profundamente a todas las mujeres a las que poseyó a lo largo de su vida, ayudado en cada conquista por su sonrisa cautivadora y por los milagros de la genética, que reservaron para él lo mejor de cada uno de sus antepasados. Miguel Ventura tenía el pelo negro y el gesto franco; ladeaba hacia la izquierda la cabeza al caminar, y tenía la costumbre de peinar el cabello con los dedos de sus manos, lo que contribuía sobremanera a que sus interlocutoras ansiasen para sí aquella caricia. Era alto, de ojos oscuros y tez bronceada; tenía los dedos largos y la mente inquieta, un detalle invisible al ojo humano pero que en el caso de Miguel Ventura se dejaba entrever en el brillo de su mirada y en lo intrépido de sus caricias. Le complacía caminar despacio, mirar de frente y vestir siempre trajes de última moda e impecable calidad, para sentirse seguro de una belleza casi insultante para los demás, sin sospechar que ninguno de aquellos atributos le iba a servir de nada el día que en verdad se enamorase.

Pero mientras ese día llegaba, Miguel Ventura sedujo a mujeres de todas las edades, colores, tamaños, pesos y estados civiles, y por extraño que les parezca, había conseguido que todas le acompañasen en el sentimiento. Y no sólo consiguió seducirlas: a todas ellas las había hecho gozar antes de despedirse de ellas con un «hasta mañana» que nunca acabó de hacerse verdad. Las acompañaba con las manos bien apoyadas en el hueco de su cintura, y andaban de esta manera, entrelazados en indisoluble unión, hasta que la luz del día les recordaba quiénes eran y de dónde venían, y se desprendían poco a poco del nudo que por unas horas les había mantenido atados. Pero incluso entonces se despedían en silencio, mirándose despacio a los ojos, y revivían los instantes que habían disfrutado juntos hasta ese amargo momento. Ellas entornaban los párpados y evocaban la piel de él sobre su propia piel, los olores que habían confundido, la forma en la que las había llevado de la mano hasta el rincón oscuro en el que habían frotado los cuerpos, destrozado las ropas y arañado las espaldas hasta que la falta de resuello y el cansancio de sus miembros les obligaba a descansar. Miguel Ventura, amante experto y cuidadoso, las conducía a la cama con un beso cálido, y trabajaba sin descanso en ellas hasta que los cuerpos se tensaban, se relajaban y finalmente se abrían y dejaban salir su felicidad a borbotones.

Irremediablemente, le miraban entonces asustadas y exhaustas, y preguntaban con voz temblorosa:

—¡Ay, Dios mío! ¡Ay, Dios! ¡Qué vergüenza! ¿Me he meado?

—No, mi vida —sonreía él, conmovido por aquella dulzura—, es sólo que has sentido un placer inmenso y se te ha escapado el alma por entre las piernas.

Miguel Ventura recorría su talle, y sus piernas, y sus brazos, y sus pies, con unas manos más que expertas; proseguía después su caricia con la lengua, y cuando se cansaba de lamer o de chupar, empujaba la cabeza de ellas hacia el pecho, y les guiaba las manos hasta su entrepierna. A partir de ese instante dejaban atrás los prejuicios y se entregaban de lleno al placer, a los movimientos compulsivos de Miguel Ventura y a los estremecimientos del sexo de la mujer que estaba arriba, y abajo, y de lado, y de espaldas también. Las vírgenes olvidaban que lo eran, y las casadas negaban haber tenido a otro hombre navegando en su interior con tanta destreza como la que acababa de demostrar Miguel Ventura, *Venturita Chico* al fin, solo en semejantes ruedos.

Al despedirse de ellas, con la certeza de haber abandonado a la mujer de su vida, se alejaba cabizbajo, pensando cuánto las había amado con el cuerpo y con el corazón en ese instante. Se preguntaba hasta dónde sería capaz de seguir con el recuerdo imborrable de la mujer que dejaba, Ana si era Ana, Julia si era Julia, Isabel si era Isabel. Deambulaba por las calles desiertas hasta que llegaba a casa y reconocía los olores que ambos habían dejado entre las sábanas. Se acurrucaba en el hueco formado por sus cuerpos a fuerza de empujarse el uno al otro, y lloraba como un niño añorando al amor que acababa de perder. Todavía con lágrimas empañando sus ojos, Miguel Ventura sacaba una lupa de la maleta y buscaba por la cama vacía los vestigios que habían dejado. Con aquellos recuerdos llenaba botes de cristal repletos de pelos, uñas y trozos de ropa que terminaban apilados en el fondo de un arcón y que, después de una ojeada, morían en el más triste de los olvidos.

El resto de la noche lo pasaba siempre en vela, lamentando entre tinieblas su triste destino de nómada, que le impedía echar raíces allí donde más lo quería, entre la cuarta y la quinta costilla de la mujer que hoy había sabido hacerle tan sumamente feliz. Pero poco después, amanecía en otro lugar y encontraba al amor de su vida en otro rostro, en otro nombre y en otro cuerpo, que más tarde tumbaría sobre cualquier otra cama cuajada de olores pasados que no había podido preservar en ningún envase. Y de esta manera sentía que la vida volvía a empezar.

He mencionado varias veces que Miguel Ventura nunca fue torero: desde la supuesta muerte de su madre jamás pisó una plaza de toros, en justa cólera por la inutilidad y el fracaso de su promesa infantil, y ni siquiera pasaba por debajo de las cabezas de bestias disecadas que atestiguaban los mayores éxitos de Venturita padre, para gran disgusto de su progenitor. Y para mayor enfado de Manuel Ventura, cuando éste encontró una nueva mujer con la que resarcirse del doloroso recuerdo de la Señorita Torera Julia la Mulata, el niño escogió para su futuro —como también les he adelantado— la misma profesión que Maximiliano Cisneros, su abuelo materno, a quien no había visto en la vida pero al que había atribuido la condición de redentor de su penosa existencia.

El viejo Maximiliano había conjurado al tiempo y se había convertido en el mayor defensor de los trenes eléctricos que había conocido la ingeniería. Era un viejo malhumorado, de cabello blanco y barba canosa, que mantenía los ojos verdes siempre en guardia y que hacía gala de un carácter imprevisible. Salía de casa vestido a la moda del siglo anterior, con una flor de temporada en el ojal de la levita, caminaba despacio porque no tenía prisa por llegar a ningún sitio, y se apoyaba en un bastón de madera de teca y empuñadura de marfil por desfasada coquetería; pero a pesar de su aspecto caduco, estaba convencido de la fuerza irresistible del progreso: así que apostó con decisión por el final del ferrocarril de vapor, y fue el primero de los ingenieros de su generación en trabajar por la electrificación de la línea férrea. Maximiliano Cisneros tuvo el honor de viajar en el primer vagón del país que se desplazó con el poder de la luz, majestuoso y altivo, el mismo día que su único nieto cumplía los once años de edad. Para preparar aquel efímero acontecimiento había pasado años enteros en Suiza, tomando referencias, midiendo distancias, maquinando fórmulas y pensando siempre en términos de potencia trifásica y corriente alterna. Le vino bien aquella electrificante actividad: sólo de aquella manera pudo sacarse a su amada Julia la Mulata de la cabeza, pero no bien lo hubo conseguido cuando el fruto tardío de aquel gran amor vino a buscarle en forma de carta. Miguel Ventura, que no sabía en qué lugar del cielo o de la tierra estaría su abuelo, le escribió directamente a la compañía ferroviaria una escueta postal en la que le informaba de su existencia y de sus deseos de seguirle en su carrera. A vuelta de correo llegó a buscarle el propio Maximiliano Cisneros, con el firme propósito de llevárselo con él y de recuperar en unas semanas todos los años que se había perdido. Todo es cuestión de voluntad, coincidirán conmigo, así que en menos de un mes no hubo secreto que Maximiliano desconociese del chico, y lo mismo le ocurrió a su nieto. Al tiempo que los misterios de la fuerza y la velocidad de los cuerpos, Miguel Ventura conoció los entresijos de la vida de su abuelo; le consoló, le habló de su piedra, le secó su llanto, le abrigó su frío, le reveló su historia, y lo que es más importante: le confió sus propios sueños. Cuando ya no quedaron secretos entre los dos y ambos se reconocieron en los defectos del otro sin llamarse a engaño, Miguel Ventura accedió a la súplica callada que le venía haciendo su abuelo desde que se lo llevó con él, y en un alarde de generosidad, su nieto consiguió que el perdón le alcanzase con tanta amplitud y sinceridad como para perdonarle también en el nombre de su madre y en el de su abuela. Y a partir de ese instante,

Miguel Ventura se dispuso a pasar a su lado todos los años que a los dos les quedaban por vivir.

Pero, como les dije, nada de eso le sirvió cuando conoció a la que iba a convertirse no sólo en su mujer a los ojos de Dios y de los hombres, sino en la mujer de su vida de la forma que él había esperado siempre: entrelazada en los lazos de un amor inmenso y de una desbordada pasión. No sé si ustedes se han dado cuenta de que los acontecimientos más trascendentales de la vida tienen la irritante costumbre de sorprendernos, pero confíen en mí si les digo que así es: atiendan si no a Miguel Ventura, que había pasado la vida entera aguardando a la mujer de sus sueños y que fue a dar con ella cuando menos lo esperaba.

Para aquel entonces, Miguel Ventura era un hombre cansado, que arrastraba tras de sí una larga vida de amores perdidos y de entregas en vano, y tal como predijo la mulata Julia, andaba enojado con el amor. Le sacaba las cuentas, le repetía los nombres y le reprochaba la situación en la que se hallaba: solo y maltrecho, porque en busca del amor había desechado cuantos amores se cruzaron a su paso. Así estaban las cosas cuando Miguel Ventura coincidió con ella por primera vez. Y digo bien por primera vez, porque aún hubo de pasar mucho más tiempo hasta que en verdad la encontrara. Para cuando llegó ese día, hacía quince años que había sabido de su existencia, una mañana soleada en la que ella caminaba del brazo de su marido. Como tantas veces, Miguel Ventura había viajado hasta un lugar cuyo nombre ya había olvidado a medio camino, por más que el de aquel día hubiera reclamado su atención nada más oírlo. Acompañado de otros técnicos de la

Compañía del Sur, el ingeniero Ventura llegó hasta Ojos Verdes tras un largo viaje en automóvil para estudiar las posibilidades de ampliación de la línea férrea. Aún no habían alcanzado el pueblo cuando todos comprendieron lo absurdo de la misión: los campos yermos, la enorme distancia entre Ojos Verdes y cualquier otro lugar habitado, y hasta el carácter de las gentes que poblaban el lugar, desaconsejaron de inmediato la ejecución del proyecto, por no hablar de la confusa situación del país, a punto de estallar una guerra.

—Por Dios —exclamó uno de los ingenieros que viajaban junto a Ventura—, ¿de dónde ha salido toda esta gente?

Los cuatro ocupantes del vehículo se examinaron unos a otros, buscando en ellos mismos alguna señal que reclamase la atención de los habitantes del pueblo, que poco a poco iban saliendo a la calle para verles pasar.

—Debe de ser por el coche —concluyó otro de sus compañeros—. Y si se espantan de esta manera al ver un auto, cualquiera les convence para que traigamos hasta aquí el ferrocarril eléctrico.

Todos rieron la broma menos Miguel Ventura, que no toleraba ni la más mínima burla en lo tocante al progreso. Su mal humor iba en aumento; no aguantaba a sus compañeros y detestaba que le hiciesen perder el tiempo de aquella manera, precisamente cuando más trabajo tenía. Para distraer su enojo se entretuvo mirando por la ventanilla del coche. Observó a la gente, a los animales, a las casas recién enjalbegadas, y cuando la envidia por aquella vida tranquila que no le pertenecía estaba a un paso de herirle en el pecho, el automóvil se detuvo al lado de ella.

Lucía un cabello rubio y suelto, y estaba acompañada por un hombre alto, fuerte, de tez morena y expresión confiada. Ella le seguía detrás, ignorando la algarabía de la calleja por la que paseaban: sólo parecía tener ojos para el que Miguel supuso su marido, y esa sospecha hasta llegó a lastimarle, como si aquella mujer debiera ser sólo suya y sólo suya la espalda que ella mirase. Él se giró y le tendió la mano para ayudarla a bajar el borde de la acera; ella le correspondió al gesto con una sonrisa que le achicó la mirada y le colmó la cara entera, pero sólo un segundo después recuperó sus formas originales y Miguel pudo ver de nuevo el color de sus ojos, tan verdes como los que debieron dar nombre al pueblo en el que se encontraban. Sin poder remediarlo, la imaginó desnuda y deseó ser él quien la desvistiese sin prisas, el que descubriese el blanco de sus muslos y el que enredase sus dedos con el vello claro de su pubis, ignorante de que muchos años después llegaría a hacer reales esas y otras fantasías, y que incluso así, ella no sería sólo suya, ni sólo suya habría de ser la espalda que ella mirase.

Cuando la pareja cruzó la calle, el coche reinició su marcha, y Miguel Ventura se dispuso a olvidarse de la hermosa desconocida. Sin embargo, el recuerdo de sus ojos y aquel deseo de poseer su alma regresaba a él cuando menos lo esperaba. La aparición de Ojos Verdes le acompañó durante años: llegó a pensar en ella cuando no podía dormir, en los largos viajes en automóvil, en las aburridas reuniones de trabajo, en la oscuridad del cine, y sobre todo, cuando no tenía a quién añorar. Para no olvidar su cara, se la dibujó en los rostros de otras mujeres, y lo mismo hizo con su pelo, con sus ojos, con su talle, con los sabores que le imaginaba y con los olores que no habían podido compartir, y con el tiempo, incluso se acostumbró a pensar en ella como si no fuese una persona real. Pero a pesar de tantas prevenciones no pudo evitar reconocerla cuando la volvió a encontrar.

En esta otra ocasión, ella andaba sola por la calle. Miguel Ventura la encontró más baja de lo que la imaginaba, también algo más gruesa, y le pareció que aquel cabello no era tan rubio como el de sus recuerdos. Se detuvo un instante antes de seguirla, aturdido por aquel capricho del destino.

«También para ti han pasado los años, estúpido», se reprochó mentalmente cuando ella estaba a punto de girar una esquina y desaparecer de su vista.

Habían pasado los años, era cierto. Y no pocos: habían pasado quince años desde que Miguel Ventura la observó por la ventana del coche y ya no pudo sacudírsela de la memoria. Le perdonó en un momento todo aquel tiempo de terrible ausencia, que hubiera encogido, que hubiera engordado y que se le hubiera oscurecido el pelo; le perdonó en un instante que ella ni le hubiese mirado aquel día, tan embelesada como estaba con su marido, que nunca hubiera tenido un gesto afectuoso para él ni en la más osada de sus fantasías, le perdonó por ofensas que no había ni siquiera sentido, y cuando se cansó de disculpar al sueño, comenzó a correr tras la realidad. Y pueden creer que corrió como si la vida misma le fuera en aquella carrera: en menos de lo que se tarda en decirlo, Miguel Ventura estaba a su lado, con el sombrero de paño en la mano y sin ninguna excusa para iniciar una conversación.

—Señora, por favor —Miguel la llamó, y trató de improvisar un motivo para aquel encuentro—. Soy ingeniero de ferrocarriles —dijo, y fue incapaz de añadir nada más, como si aquella fuera una razón de peso para retener a una desconocida en mitad de la calle y bajo el sol del mediodía.

Ella le observó sin disimular su sorpresa ni sus ganas de reír, y únicamente por cortesía esperó a que el forastero reanudase su explicación.

—¿Y en qué puedo ayudarle? —preguntó cuando comprendió que él no continuaría hablando.

Miguel Ventura hubiera querido contestarle: «En todo, puede usted ayudarme en todo, puede cambiarme la vida, ¿es que no lo ve?». Hubiera querido decirle que llevaba años soñándola, que era un milagro que su compañía le hubiera enviado al mismo lugar en que la encontró, hasta con el mismo pretexto que entonces; hubiera querido contarle que el azar les daba una nueva oportunidad para conocerse, y hubiera querido jurarle que estaba dispuesto a adorarla como nadie lo había hecho. Hubiera querido confesarle que conocía de memoria su sabor y su olor, y su forma de estremecerse mientras hacía el amor. Hubiera querido inventarle palabras capaces de expresar lo que le quemaba por dentro, consciente como era de que ninguna de las que existían podrían hacerle entender lo que para él significaba aquel reencuentro. Finalmente, tuvo la certeza de que la vida entera no le iba a alcanzar para expresar todos los pensamientos que llevaba tanto tiempo cavilando, así que decidió que mejor sería empezar por donde lo hubiera hecho si aquella fuera la misma mañana soleada de tantos años atrás.

—Me llamo Miguel Ventura, y he venido a Ojos Verdes para traer el ferrocarril. ¿Sería tan amable de decirme su nombre, señora?

Ella se retiró un mechón de la cara y lo colocó detrás de la oreja. Él se fijó en que no llevaba pendientes, aunque sus lóbulos estaban perforados. Tampoco lucía anillos, ni alhajas que adornasen la belleza que él volvía a descubrir en su rostro. Retrocedió un paso, y con aquella nueva distancia entre ellos, le ofreció la mano.

—Yo me llamo Raquel dos Santos.

«ME LLAMO MIGUEL VENTURA, Y HE VENIDO a Ojos Verdes para traer el ferrocarril», me había dicho él. Pero el ferrocarril nunca llegaría hasta Ojos Verdes y Miguel Ventura tampoco haría nada por conseguir que llegara: es más, cuando la Compañía volvió a decidir que no había motivos que justificasen ni el gasto ni el esfuerzo de semejante proyecto, Miguel Ventura no abandonó el cuarto en que se alojaba desde hacía diez días. Era una habitación sencilla, de paredes blancas y sábanas de algodón barato, muy distintas de las que él acostumbraba a utilizar en su casa de la ciudad. En un rincón de la pieza, Miguel se había hecho colocar una jarra y una palangana que utilizaba para desprenderse a diario de una barba dura que comenzaba a aparecer de nuevo a las pocas horas de haberla rasurado con fruición. El baño estaba al otro extremo del cuarto. Todas las tardes, al acabar su trabajo, Miguel Ventura llenaba la bañera de agua caliente, y allí se quedaba al menos una hora, hasta que la piel de los dedos se le arrugaba y no le quedaba ningún recuerdo que repasar; luego, se remojaba con el agua helada que contenía el jarro, para espabilarse y sacudirse el menor atisbo de tristeza que se le hubiera quedado prendido en el alma sin que se hubiera dado cuenta, y cuando al fin estaba limpio, afeitado y perfumado como una señorita, se vestía para salir a la calle. Recorría el corto camino que separaba su pensión y mi casa, y merodeaba por los alrededores sin decidirse a llamar a la puerta. Así fue como lo encontró Fernando Resurrección una tarde, casi una semana después de que nos hubiéramos encontrado de casualidad. Hacía días, cinco días, para ser exactos, que Fernando lo veía deambular por la calle, mirar a la casa y detenerse apenas un instante cerca del umbral.

—Joven —se le acercó por detrás—, ¿se puede saber qué está haciendo?

Miguel Ventura se llevó un dedo a los labios, mientras observaba fijamente al anciano.

—Me llamo Miguel Ventura —respondió, fiel a su costumbre, aunque omitió su condición de ingeniero de ferrocarriles.

—Pues mucho gusto. A mí me dicen Fernando Resurrección. Pero, de todas formas, ¿puede decirme qué está haciendo?

—La estoy esperando.

Fernando Resurrección no necesitó escuchar más. Asintió con la cabeza y decidió acompañarle en la espera. Cada tarde, al intuir la hora en la que Miguel Ventura se acercaba por la casa, le esperaba en las calles que lindaban con la nuestra y en silencio asistía al acecho de Miguel. A veces le acompañaba mi hijo Adolfo. Miguel Ventura ya le había visto junto a mí, aquella primera mañana en que se plantó a mi lado y me llamó, con la mirada sofocada que presagia los grandes acontecimientos.

—Señora, por favor —me dijo—. Soy ingeniero de ferrocarriles.

Poco después, estábamos sentados en el bar del hostal donde se alojaba, «Camas y habitaciones con baño Placeres»; sobre la mesa, un café y un vaso de agua, y a nuestro alrededor, gente que no dejaba de murmurar. Lo mismo nos daba, pueden suponerlo. Inquieto frente a mí, Miguel Ventura comenzó a hablar, con una voz trémula que poco a poco se fue templando. Conversamos sobre asuntos de poca importancia: el tiempo, la gente, las siembras, las calles, los hijos, los hombres, cosas que, según me dijo, precisaba saber para su trabajo en Ojos Verdes. Y así se nos pasó la mañana: tan despacio que no me di cuenta, cuando me levanté de la silla de aquel café, que mi vida entera había cambiado de improviso. Miguel Ventura me propuso acompañarme a casa; yo rehusé aquel detalle de galantería sin saber muy bien por qué, pero estreché la mano que me tendía con la mirada prendida en sus ojos y con la firme esperanza de volverlo a ver.

—No sé si le habré servido de ayuda, pero créame si le digo que es preciso que el ferrocarril llegue hasta aquí. Estamos alejados hasta de la mano de Dios —dije desde la puerta mientras él alzaba el brazo en señal de despedida.

Hacía años que no tenía noticias de Ernesto Placeres, no crean que me he olvidado de él a estas alturas del cuento, y en toda mi vida nunca había estado tanto tiempo a solas con un hombre sin que el deseo nos apremiara a marcharnos a algún lugar donde pudiéramos arrancarnos la ropa y frotarnos la piel con la violencia que el cuerpo nos pedía. En los ojos de Miguel Ventura yo advertí su pasión, pero también descubrí su paciencia manteniendo fuertemente alejada su mano de la mía: por ese motivo pensé tanto en él mientras regresaba a casa, y no tuve la menor duda cuando Fernando Resurrección me advirtió sobre mi futuro:

—Ese hombre —me previno cuando le hablé de él— es lo que deberías estar esperando.

Yo reí y traté de disimular el malestar que me producían sus palabras:

—Ojalá fuera como tú dices, pero lo que yo estoy esperando, Fernando, está muy lejos de aquí. Muy lejos de donde estoy esperando desde hace años —protesté con la seguridad que da el haber pasado tanto tiempo inmóvil en el mismo lugar.

—Eso es lo que tú crees, y por eso te estás arruinando la vida —me respondió antes de salir del cuarto.

Mientras yo le rechazaba sin que él lo sospechara siquiera, Miguel Ventura subió a la habitación con baño de la familia Placeres. Antes había recorrido el pueblo entero buscando las huellas que yo hubiera podido dejar en las calles y en las plazas de las que le había hablado unos minutos atrás, imaginando cómo habría transcurrido mi vida en aquel lugar, tan lejos de él y de la vida que hubiera querido darme. Se creía responsable de su desdicha y de la mía, y lo que es peor, se sentía demasiado viejo y torpe como para poder hacer suyo un amor como aquél, precisamente él, que había estado esperando la vida entera y que al fin venía a su encuentro cuando la misma vida le pesaba hasta hundirle en su propia sombra.

Agotado y apenas sin ánimo, Miguel Ventura empujó la puerta del cuarto y se dejó caer sobre la cama. Allí mismo se quitó la ropa y con calma se palpó cada resquicio de su piel, reconociendo las marcas de toda una vida con la yema de los dedos y lamentando cada uno de aquellos vestigios con el fondo de su corazón. «Hay muchas maneras de estar muerto aunque creas en el amor —pensó para sí mientras observaba de reojo el vello blanquecino que poblaba su pecho—. Cómo te ha pasado el tiempo», se reprochó también en silencio. Maldijo su suerte, maldijo su estampa y maldijo la pérdida de todo el aplomo que había permanecido a su lado las veces que se había enamorado antes de ese día, y que ahora le abandonaba de golpe, justo cuando más lo necesitaba. Desnudo como estaba, se puso en pie frente al armario y se palpó las costillas; tomó aire, hinchó el pecho, sonrió a la imagen que le devolvía el espejo y con los ojos del cristal fijos en todo su cuerpo, se obligó a pensar en el tiempo que también había pasado para mí.

Aquella certeza le devolvió en parte la seguridad perdida. Regresó a la cama, se tendió de nuevo sobre el colchón y retomó sus caricias con otro brío, pensando en mis ojos de ahora y también en los de hacía tanto tiempo, en mi fantasma acompañándole todos aquellos años, en la piel que seguía siendo tersa y que asomaba por el escote de mi vestido, en mis dedos tocando apenas el vaso de agua, mientras él deseaba en secreto que aquel roce se repitiese poco después en los pliegues más cálidos y acogedores de su cuerpo.

Pensó también en las caricias que había desperdiciado en otros cuerpos, incluido el suyo, en las lágrimas absurdas que había vertido, en las palabras que había derrochado y que ahora dejaban huérfano todo su lenguaje. Pensó en las partes de mi cuerpo que no conocía, y que tuvo miedo de no llegar a conocer nunca, así que a manotadas apartó cualquier mal pensamiento: la imaginación se le volvió febril y el pulso le acompañó en aquel viaje, largo, rápido, inquieto. Pasaron unos minutos. Desnudo y mojado, Miguel Ventura movió los dedos, espió los latidos de su corazón y encontró templados sus nervios. No se sentía al borde mismo de la misma muerte, y mucho menos se había acomodado en semejante lugar. Nada había ocurrido como llevaba años esperando, y sin embargo, desnudo y mojado, viejo y torpe, Miguel Ventura no tuvo duda ninguna: había llegado el día en que se había enamorado.

No volví a verlo mientras los demás ingenieros de la Compañía del Sur tomaban sus decisiones, y cuando en el pueblo se corrió la voz de que el ferrocarril de nuevo había pasado de largo, busqué a Fernando Resurrección para apagar en él mi furia.

—¡Conque éste era el hombre que yo debía esperar! —le miré, enfurecida, como si la culpa de que él se hubiera marchado fuera del buen Fernando Resurrección—. Pues ya ves que se ha ido sin más.

—No sé por qué te quejas, si tú misma dijiste que lo que tú esperabas estaba muy lejos. Y no sé tampoco por qué te enfadas conmigo. Es contigo con quien deberías estar enfadada.

—¿Conmigo? ¿Por qué he de estar enfadada conmigo?

—Porque nadie más que tú tiene la culpa de lo que te pasa. Porque estás sola. Porque estás dejando pasar la vida sin hacer nada, sólo esperando a alguien que no va a volver. Es más: alguien que no va a volver para estar contigo. ¿Te parecen pocos motivos? —respondió, enojado.

—¿Sin hacer nada? —le remedé—. ¿No te acuerdas de tu hijo, que fue mi marido? ¿No te hablé de Amado Santiago? ¿No he querido a mis hijos, no te quiero a ti?

—Tú no nos has querido nunca a ninguno de nosotros —ahora no estaba enfadado, más bien parecía triste—, tú sólo quieres a Ernesto Placeres, y el resto del mundo no te importa. Es como si los demás únicamente estuviésemos aquí para entretener la espera. Pero ni siquiera Ernesto Placeres va a llegar solo. Las cosas que de verdad deseas tienes que pelearlas. La vida es una lucha, Raquel, no una espera. Tienes que pelear.

—¿Como hiciste tú con África? —le respondí, y de inmediato me arrepentí al ver su expresión de dolor, como si de veras le hubiese golpeado.

—Sí, exactamente como hice yo —miró al fondo de la sala, buscando en la penumbra el recuerdo de ella, y enjugó aquella lágrima perpetua que le acompañaba siempre y de la que ya les hablé—. Y no intentes lastimarme, porque no te hará sentirte mejor. Yo peleé mal, pero peleé, que es lo que cuenta, aunque ahora esté aquí solo, pagando mi error. Por eso no quiero que tú hagas lo mismo.

—Hay veces en que no basta con la intención —concluí, acariciando su mejilla y saliendo luego de la habitación.

—Ernesto Placeres no va a volver nunca. No te esfuerces más, pasa de una vez la página. Hay muchos hombres en el mundo, Raquel, no pierdas tu tiempo pensando en uno que no te ama. Pudiste tener otra oportunidad, pero ahora que Miguel Ventura se ha marchado para siempre, más vale que empieces a pensar en tu vida de otra forma —me dijo mientras él también abandonaba el cuarto.

Se equivocó. Años después, Ernesto Placeres regresaría a mi vida, y esa misma tarde Miguel Ventura decidió llamar a mi puerta por primera vez. Antes había pasado varias horas en una bañera de hierro esmaltado que se sostenía firme sobre cuatro patas que imitaban pretenciosamente a la porcelana, y únicamente había abandonado el agua cuando se había vuelto tibia. Después, ya saben, alejó los malos recuerdos y la modorra con el agua helada que caía de la jarra. Se vistió, se perfumó, colocó toda la ropa que guardaba el armario en una pequeña maleta de viaje y con ella en la mano se dispuso a venir a mi encuentro.

—Fuera te buscan —me avisó mi hijo Adolfo.

En la calle me esperaba Miguel Ventura. Dejó la valija en el suelo y me tendió una mano temblorosa.

—Soy Miguel Ventura —se volvió a presentar.

—Ya lo sé, el ingeniero de los ferrocarriles. ¿No recuerda que nos conocimos hace unos días? —le examiné inquieta, temiendo que hubiera perdido el juicio—. ¿Se siente usted mal, está enfermo?

—No, Raquel. Me encuentro bien, no se preocupe, aunque estoy un poco nervioso —se aclaró la garganta—. Yo sí la recuerdo, es usted la que no me recuerda a mí.

—¿Debería recordarle?

—Por supuesto que debería. Daría cualquier cosa por que se acordase de mí como yo me acuerdo de usted, pero sé que es imposible —me miró y sonrió—. De todos modos no es de eso de lo que he venido a hablarle.

Le invité a pasar con un gesto, y él me siguió por el zaguán oscuro hasta llegar al comedor, todavía coronado, al cabo de tantos años, por los retratos de mi difunta suegra. Sentado en una mecedora cerca de la lumbre, Fernando Resurrección se balanceaba con los ojos cerrados, y al fondo del corral, mi hijo Adolfo cuidaba de los caballos. La sala olía a la comida del mediodía, a pan recién hecho y a las rosas cortadas al amanecer que adornaban la mesa, pero aun así Fernando entreabrió los párpados alertado por el olor a miedo que desprendía el hombre que seguía mis pasos.

—Buenas tardes, ingeniero —le saludó poniéndose en pie—. Pensaba que usted se había marchado con los demás.

Miguel hizo un gesto renuente con la cabeza y Fernando asintió varias veces con la suya, como si entre aquellos hombres se hubiera establecido un sistema de comunicación que me resultaba ajeno. Los dos observamos en silencio la espalda encorvada de Fernando Resurrección hasta que desapareció en la penumbra.

—He comprado una casa en Ojos Verdes. La compré hace unos días, los necesarios para que la limpiasen y la acondicionasen —comenzó a hablar como si tuviera prisa por terminar aquella conversación—. Esta misma tarde me mudo, en cuanto salga de aquí.

—Algo del asunto había oído, pero no pensaba que fuese usted el comprador.

—Pues sí, yo mismo, ya ve. Mañana llegarán los muebles y el ajuar que he encargado en la ciudad, aunque todavía faltan muchas cosas, todos los detalles de la casa, puede imaginarse —mantuvo silencio unos segundos, mientras hacía girar el sombrero entre sus manos y reflexionaba sobre sus siguientes palabras—. Mire, Raquel: voy a parecerle un loco y seguramente tendría razón si pensara así de mí, pero no puedo evitar esto que siento. Sé que usted no puede sentir lo mismo, que no me conoce, y que aunque yo intentase mil veces explicarle qué es lo que me une a usted de esa forma, no sería capaz de hacérselo entender. Ni yo mismo lo entiendo, pero como le digo, tampoco puedo evitarlo. No me mire así, se lo ruego —me sonrió—, no he venido a reclamarle nada.

—¿Entonces?

—He venido a contarle que tengo cuarenta y cinco años, que estoy viejo y cansado porque me he pasado la vida buscando —levantó la vista del suelo y la fijó directamente en mis ojos—. Buscándola —matizó—. He venido a decirle que intuí que se trataba de usted hace muchos años, y que ahora tengo la completa seguridad de que es así. Lo sospeché al verla en la calle el otro día, ¿recuerda?, y tuve la certeza cuando fuimos al café. He pasado toda la semana rondando su puerta, sin atreverme a llamar… Es usted tan bella, Raquel, tan joven todavía, y en cambio yo… Le basta con mirarme —alzó los brazos al techo en un intento por expresar su desolación—. Sé que probablemente usted nunca va a amarme, pero no me importa. No le pido nada, sólo le suplico que me permita estar cerca de usted. Seamos amigos, Raquel.

Fuimos amigos. Fuimos más que amigos, se lo puedo asegurar. Miguel Ventura se convirtió en el mejor amigo que he tenido en la vida, y aún ahora extraño sus palabras y sus bromas tanto como no me atrevo a extrañar sus besos y sus caricias. Porque durante unos meses, ambos cumplimos nuestra promesa y sólo tratamos de cobijar la propia soledad en la soledad del otro: paseamos por las calles, fuimos al cine, al baile, al café, a la plaza si había mercado, compartimos secretos y confidencias, y cada día desafiamos las habladurías de la gente que nos convirtió en amantes cuando él ni se atrevía a soñarlo y yo no era capaz de pensarlo siquiera. Miguel Ventura me hizo reír, cada día, desde el primero, ¿pueden creerlo? Trató de conquistarme con pasteles de nata, con botellas de champán de la mismísima Francia que conseguía sólo Dios sabía cómo, y con antiguas historias que no me interesaban en absoluto.

—Yo también tengo un pasado —protestaba para hacerlo callar mientras apartaba los dulces.

—Bueno, pues cuéntamelo, veremos cuál de los dos es más interesante. Y cómete ese pastel de nata, mujer, que están deliciosos, y Fernando va a reventar si se traga uno más —respondía él, sin dejar espacio para el desánimo.

Un día, cansado de cargar con tantas miradas que reprobaban nuestra relación, compró una radio de válvulas y la instaló en el salón de mi casa. Allí nos reunimos desde entonces cada tarde, a escuchar coplas y noticias de otros lugares del mundo. Yo atendía más a lo primero que a lo segundo, sin sospechar hasta qué punto uno de aquellos países lejanos tendría que ver con mi vida. Y así fue como al cabo de tanto tiempo, tantos años después de la tarde de mi primera boda —ustedes lo recordarán, casi mejor que yo misma—, mis labios volvieron a entonar las mismas canciones. Esta vez no era en un patio. Nadie nos miraba mientras bailábamos, yo con Miguel, mi hijo Adolfo con su abuelo adoptivo, mi hijo y yo, Fernando Resurrección y yo. Sobre la mesa, los pasteles de nata siempre intactos, la botella de champán siempre vacía, la sonrisa siempre en la cara. No nos dábamos cuenta, y sin embargo éramos felices.

—*Por mi salud yo te juro que eres para mí lo primero* —le canté un atardecer cuando en la radio sonó aquella canción.

Miguel Ventura movió su mano inquieta por mi espalda cuando me escuchó cantar. Evité mirarle a los ojos. Me sentí avergonzada: no quería que supiera que estaba pensando en otro hombre.

Miguel sonrió.

—*Y me duele hasta la sangre* —cantamos ambos en voz baja.

—*De lo mucho que te quiero* —concluí yo.

Esta vez, alguien la cantaba para mí. Pero como había sucedido tantas veces en mi vida, yo no supe oírlo.

Después de bailar aquella canción, un terremoto pareció sacudir nuestros encuentros vespertinos. Los dedos de Miguel comenzaron a mostrarse nerviosos e impacientes cuando me abrazaba para bailar, las letras de las canciones siempre terminaban por volverse equívocas, nosotros evitábamos mirarnos mientras nos movíamos despacio al ritmo de las coplas que sonaban en la radio, y no tardamos en dejar de bailarlas. Regresamos a la costumbre de contarnos historias, y así fue como supe de Maximiliano Cisneros y de su cobardía, de Manuel Ventura y de su equivocación, del inventor Juvenal Domínguez y de la Señorita Torera Julia la Mulata, y de cómo Miguel Ventura descubrió la verdadera historia de amor de su madre muchos años después.

—¿No me decías que tú también tenías pasado? —preguntó un día Miguel Ventura, cuando se le terminaron los cuentos.

Asentí en silencio:

—Mi pasado son mis manos —le dije— y las arrugas de mi cara.

—¿Y las de tu corazón? —volvió a preguntar.

—Mi corazón no tiene arrugas.

—Ay, Raquel —Miguel Ventura se levantó y se encajó su sombrero lentamente sobre la cabeza. Luego se colocó el abrigo sobre los hombros y me miró desde la puerta—, mi pobre Raquel. Tienes dos hijos de dos maridos distintos, y esa pena en la mirada que me está matando desde que te conocí. Y dices que no tienes arrugas en el corazón. Pobre Raquel dos Santos —repitió—. Y pobre Miguel Ventura.

Tardó cuatro días en regresar. Vino con un traje nuevo y una bandeja de pasteles que los cuatro comimos en silencio mientras en la radio sonaban las canciones, una tras otra.

—Vaya —dijo Fernando Resurrección después de comerse el último de los confites—, es la primera vez que nos acabamos los pasteles. Y eso que hace casi un año que Miguel trae todas las tardes una bandeja entera.

Miguel se puso en pie.

—He venido sólo para despedirme. En unos días vuelvo al trabajo. Parece que esta vez la electrificación de la línea va en serio. Los tiempos están cambiando de verdad. El vapor es historia —sonrió—. La compañía ha vuelto a llamarme, y yo todavía tengo mucho que decir.

—Hombre, Miguel, la enhorabuena —Fernando Resurrección se levantó de inmediato y le tendió la mano. Adolfo le imitó, y yo fui incapaz de moverme de la silla—. Éste es un momento que ha estado esperando siempre.

173

Todos guardamos silencio.

—Y además, así en unos años podrá volver a Ojos Verdes a traer el ferrocarril. Dicen que a la tercera va la vencida.

—A la tercera, sí —respondió Miguel.

Esa misma noche fui a buscarlo. Me abrió la puerta vestido con el mismo traje oscuro con el que había venido a mi casa unas horas antes. Observé el nudo deshecho de su corbata, la camisa arrugada y los pantalones manchados. Él evitó mi mirada y se hizo a un lado para dejarme pasar.

—Yo misma te bordé esos visillos —le dije señalando las ventanas con un gesto cuando entré en el comedor. Él confirmó mis palabras con un movimiento de su cabeza—. Y ahora te vas así, sin más. Viniste a mi casa, y me dijiste, «no te pido nada, seamos amigos». Y yo te di mi amistad a pesar de las murmuraciones. Y ahora te marchas, y nos dejas aquí, a todos. A mí, y a Fernando, que te quiere como a un hijo. Y a mi propio hijo Adolfo, que no sé como a qué, pero que te quiere, que es lo que importa. Y yo, ¿qué me dices de mí? ¿En qué lugar me dejas?

Miguel guardó silencio. Miré la habitación que yo misma le había ayudado a decorar unos meses atrás: el papel de las paredes pintado con rayas de color ocre para darle amplitud y calidez, los muebles sólidos, de madera de nogal, los floreros llenos pétalos secos para evitar la molestia de cambiar los tiestos, las cortinas, las figuras de porcelana que escogimos por catálogo y que tardaron tres meses en llegar, la chimenea, y en la pared principal, un retrato de Adela Castro que colocamos allí para equivocarle la manía de perseguirme los sueños. Reparé en una botella de licor, vacía sobre la mesa.

—Si no me pediste nada, ¿por qué te marchas ahora? —le reclamé.

—¿Por qué crees? —yo guardé silencio—. Porque he estado junto a ti todo este tiempo, amándote cada día más, y confiando en que tarde o temprano hicieras algo que me disgustase para darme cuenta de que no valía la pena seguir con esto. No lo has hecho. Todo me gusta de ti, y no puedo soportarlo más tiempo —respondió con voz pastosa.

—¿Así que te vas, como Juvenal Domínguez?

—La paciencia no es una virtud que dure siempre, aunque nos empeñemos en lo contrario. Pensé que con estar a tu lado tendría suficiente, pero ya ves que no es posible —se aproximó al aparador y abrió otra botella. Me ofreció un vaso que yo rechacé—. Así que me marcho. Sí, me marcho como Juvenal Domínguez.

—Pero tu madre amaba a Juvenal.

—Sí, mi madre amaba a Juvenal, es cierto. Y me gustaría saber qué es lo que sientes por mí, Raquel.

Le miré de nuevo. De pie frente a mí estaba Miguel Ventura, con su traje nuevo arrugado y sucio y su mirada desconsolada, la misma del niño que se sentía demasiado chico para cargar con un dolor grande: la única persona con la que no había sentido la necesidad de fingir, el único hombre que me había hecho feliz hasta que la sombra del recuerdo de Ernesto Placeres se había cruzado entre nosotros. Sentí vergüenza de aquella mirada: era yo la que debía sentirse pequeña.

—He tenido dos maridos, y cada uno de ellos me ha dado un hijo. Sé que no he sido una buena esposa, y tampoco una buena madre, ni una buena hija. Por no ser, no he sido ni siquiera una buena persona. No tengo buenos ni los deseos —le miré—. No puedo mentirte: amo a un hombre que no puede ser mío, que está casado, que tiene hijos, que ni siquiera está aquí. No sé por qué siento amor por él, sólo sé que no puedo remediarlo. No me recuerdo sin amarle. Le quiero desde que tengo memoria, desde que tengo razón. Es más: sólo tengo conciencia de ser lo que soy porque le quiero. Me casé sabiendo que le quería, y también tuve a mis dos hijos sabiendo que le quería. La esperanza de que él regrese un día y pueda amarme como yo le amo es lo único que me ha dado fuerzas para seguir viva, toda la vida, Miguel. Le he querido siempre, y aun ahora, sé que le quiero, más que nunca. Pero también ahora, más que nunca, sé que no es lo único que quiero.

—¿Y qué es lo que quieres, además de ese hombre? —me preguntó, antes de apurar su vaso de un trago.

—No te pido nada, sólo te suplico que me permitas estar cerca de ti —repetí sus palabras y traté de sonreír mientras le imitaba—. Seamos amigos, Miguel. Quiero que seas mi amigo, igual que tú me pediste que hiciera contigo —me puse en pie y me aproximé a su lado para cogerle de la mano—. No quiero que te vayas.

Aquella noche Miguel Ventura fue de nuevo mi mejor amigo, y no contento sólo con eso, se convirtió en mi tercer marido. En mi último marido. En mi único marido. Con los ojos todavía vidriados por el alcohol, Miguel Ventura se puso en pie y acarició mi rostro con la mano que yo acababa de tomar entre mis dedos. Antes incluso de que él me besara, mientras acercaba sus labios a los míos con la boca entreabierta y ahogando un suspiro, pude sentir todo su calor, como si entre su piel y mi piel no hubiera nada capaz de mantener separado el ardor de nuestra sangre. Nos abrazamos primero en silencio, dejando que nuestros cuerpos se acostumbraran a aquella nueva disposición: allí donde antes estaba la mano de nuestro amigo estaba ahora la mano de nuestro amante, y lo mismo sucedía con los dedos, con el cuello, con el pecho, con la boca, con la lengua. Nos buscamos sin urgencia, desafiando las prisas y los recuerdos, y a pesar de todo terminamos por encontrarnos el uno al otro, sin ropa, sin miedos, sin ningún pudor. Y la mano del amante se volvió valiente, y los dedos encontraron huecos donde guarecerse. El cuello del amante se convirtió en un lugar donde reponer fuerzas; de su pecho germinaron sabores desconocidos de fruta en sazón, y de su boca brotaron palabras ya pronunciadas que en sus labios adquirían nuevos sentidos. «Mi cuerpo sabe a frutas jugosas», le revelé al oído. «Me encantará probarlas», me respondió él. Las probó, una a una y varias veces, y para corresponder, me dejó degustar los sabores que traía escondidos en los rincones de su cuerpo, y que en nada se parecían a aquellos dulces de nata con los que me había rondado durante casi un año. Las palabras extraviaron sus significados, de tanto que las pronunciamos, para decir nuestros nombres, para nombrar nuestros cuerpos, para pedir más, para gritar «basta». Para decirnos: «Te quiero».

—¿De verdad me quieres? —preguntó Miguel, sin dejar de acariciarme.

—Claro que te quiero. Te quiero mucho.

—¿Me quieres como a él? —me miró a los ojos y aguardó impaciente todo mi silencio, hasta que comprendió que no tenía intención de responderle—. No llevas pendientes. Me di cuenta la primera vez que te vi; bueno, la segunda vez. No llevas pendientes, ni joyas. Y es una lástima, porque eres la mujer más bella del mundo, todos deberían saberlo y tú deberías mostrarlo orgullosa al mundo entero —dejó de hablar de pronto—. ¿De verdad me quieres, Raquel? —asentí—. Entonces no me digas nunca su nombre. Una vez oí que lo que no se nombra deja de existir: yo repetiré cada día tu nombre, Raquel, Raquel, Raquel. Repetiré tu nombre, te diré cada mañana cuánto te quiero y esperaré que tú repitas mi nombre y que me digas cuánto me quieres también. Quizá así lo consigamos.

Cuando Miguel se quedó dormido, borracho, desnudo y agotado de tanto probar los sabores y reconocer los cuerpos, pensé que aquella generosa oferta se debía al alcohol o al efecto mismo de la búsqueda intrépida que acababa de protagonizar. Me equivoqué: ni un solo día dejó Miguel Ventura de repetir mi nombre, Raquel, Raquel, Raquel. Ni un solo día dejó de confesar cuánto me quería, ni de esperar que yo le respondiera cuánto le quería a él. Lo que más lamento ahora es todo aquel silencio.

MI HIJA SE LLAMÓ JULIA, COMO SU ABUELA LA Señorita Torera, como su bisabuela Julia la Mulata. El día en que nació no dejó de llover; me sentí inquieta desde bien temprano, cuando los primeros rayos comenzaron a rasgar el cielo, que de tan oscuro resultaba hasta siniestro, y los truenos amenazaban con desbaratar la casa. A mi lado, en la cama, sólo me acompañaba el silencio. Unos días antes, y con el pretexto de un viaje ineludible, Miguel abandonó la casa con la mirada sombría y el gesto cansado.

—¿Cuándo volverás? —le pregunté desde el zaguán.

«Pronto», me dijo, y fue cierto: sólo dos días después de su marcha, estaba de vuelta cargado de regalos para su hija sin que nadie le hubiera dicho que la niña había nacido: muñecas de trapo, trajes de princesa, golosinas, juegos, cuentos para que aprendiese a leer y a creer en otros mundos, cuadernos para que pudiese escribirlos y no se encerrase en la vida y en el cuerpo que le habían tocado en suerte, y una extraña piedra de cobre envejecido que colocó en su mano diminuta en cuanto la vio.

—Dios —murmuró mientras examinaba su cuerpo. Le contó los dedos, le palpó las costillas, jugueteó con sus pies y hundió su cara en el breve espacio entre su cuello y sus hombros—. Dios, Julia, eres perfecta. Eres perfecta, la niña más hermosa del mundo.

No se sorprendió de que fuese hembra, y mucho menos se extrañó de su color. La quiso desde el primer momento en que la tomó en sus brazos, si es que no lo hizo ya antes, cuando en mitad de la noche y tan lejos de nosotras supo, quién sabe cómo, que su hija acababa de nacer. En unos segundos, resolvió su nombre y puede que hasta su destino: la bautizó allí mismo, con los ojos brillantes y la sonrisa sincera.

—Julia Ventura dos Santos —le susurró al oído—. Julia la Mulata, que por tus venas corre la sangre de mi madre y de mi abuela, que llevas dentro la sangre de la mujer que más amo —me miró—. No puedes ser otra cosa más que una gran personita.

Pueden creer que lo fue, pero no se conformó con ser una persona grande y tuvo que ser una niña extraordinaria. No se me ocurre otra manera de describirla. Sé que todos ustedes piensan que sus hijos fueron excepcionales de chicos, pero es que la mía se acostumbró a mirarnos con ojos de persona mayor, aprendió a caminar antes que a gatear, y apenas si se dio tiempo para los balbuceos antes de repetir con claridad su nombre: «Julia Ventura dos Santos», dijo la niña un domingo a mediodía, todavía con restos de papilla manchando su cachetes.

—¿Qué has dicho? —preguntó mi madre, que desde el nacimiento de mi hija no había vuelto a pronunciar dos palabras seguidas.

La pequeña repitió su nombre: «Julia Ventura dos Santos». No tenía aún dos años, y miró fijamente a su abuela. Dejó su cuchara de madera dentro del cuenco de la comida y adelantó su mano para retener el brazo de la mujer. La miró a los ojos. «No comas más», susurró con entonación adulta. Todos lo escuchamos, pero preferimos no dar crédito a nuestros oídos. Fernando Resurrección se removió en su silla, yo me levanté a cerrar una ventana que no dejaba de golpear contra el marco, Adolfo se sirvió más agua en su vaso, Miguel acarició el pelo de su hija, y mi madre siguió comiendo. Nunca he vuelto a cocinar los platos que aquel día estaban en la mesa, sopa de cebollas, liebre estofada y bombones de azahar. Todavía puedo verlos sobre el mantel, y si me esfuerzo, incluso soy capaz de sentir el sabor de todos aquellos alimentos dentro de mi boca. «No comas más», le advirtió por tercera vez mi hija. No le hicimos caso, pero mi madre no sobrevivió a aquella comida.

Se encerró en su cuarto, se sentó en una esquina de la cama y con los dedos nerviosos sacó el colgante con la expresión asustada del que fue su esposo. Después musitó de nuevo aquella antigua conversación. Se tumbó sobre el colchón, cerró los ojos y según su costumbre, volvió a ver el cuerpo desnudo de su marido, robusto y viril, tal como fue en vida. Entretenida estaba con aquel recuerdo, sin pensar siquiera que se iba a morir, cuando mi pequeña golpeó su puerta.

—Pronto te reunirás con él —la niña se acercó a la cama y desde allí percibió el terror que atenazaba la garganta de la vieja. Luego le cogió la mano—. No tengas miedo: él te está esperando desde hace mucho tiempo.

—¿Falta mucho? —preguntó, atemorizada.

—El tiempo sólo depende de cuánto esperemos que sucedan las cosas. Y tú has esperado muchos años para encontrarle: pero no te angusties, te queda poco.

Tragó saliva, inquieta. Miró sus manos, cuajadas de manchas azules y supuso que su rostro no era capaz de esconder todos los años que había vivido. La mayor parte de ellos los había pasado añorando a Irineo dos Santos, y deseando la muerte si de esa manera conseguía estar junto a él otra vez, pero de pronto aquel precio se le figuró demasiado alto: le gustaba pasear antes del atardecer, vivir mil veces cada día de su vida en la imaginación para hacer mejores los buenos recuerdos y menos dañinos los malos, mecerse al abrigo de la lumbre, escuchar la radio en la cocina y espiar a la niña Julia para llevar la cuenta de sus pequeños milagros, y no estaba dispuesta a renunciar a esa vida tan pronto.

—Los deseos se vuelven a veces contra uno mismo —la pequeña Julia acababa de adivinarle el pensamiento—, pero eso tampoco ha de angustiarte ahora.

—¿Me voy... me voy a morir?

Julia estiró la falda de su vestido blanco y se entretuvo unos instantes jugueteando con la piedra de cobre que llevaba siempre en el bolsillo derecho.

—¿A morir, dices? Las personas únicamente mueren cuando dejamos de pensar en ellas —Julia sonrió—. No tengas miedo: sólo vas a reunirte con él.

Mi madre le hizo caso a medias: no tuvo miedo, sino auténtico pánico a morir. Cerró la puerta con el pestillo cuando la niña se fue, dispuesta a luchar con bravura antes de entregarse; y allí, recluida entre sus recuerdos, reconstruyó su vida paso a paso: lamentó de nuevo cada equivocación, y sintió otra vez la dicha de los grandes acontecimientos. Por fin consiguió sobreponerse al pánico, y hasta al mismo desconsuelo lo derrotó con las armas que le brindaba la memoria feliz recién recuperada, alejados ya sus recuerdos de la amargura de la separación: su propia risa sonora, el cuerpo sabroso de él, el amor inacabable de los dos.

Cuando Fernando Resurrección llamó a su puerta, extrañado porque no hubiera salido del cuarto para desayunar, la encontró todavía caliente, vestida con su traje de luto y con una fotografía del día de su boda en el regazo. Mi madre murió con los ojos abiertos. «De empacho», dijo el doctor. «De pena», dijo mi hija con su lengua recién estrenada, y pueden suponer que la creímos a ella.

Todavía no habíamos dejado de llorar la muerte de mi madre y la niña Julia Ventura dos Santos no sólo era capaz de repetir con soltura su nombre: mantenía largas conversaciones sobre cualquier asunto y sin ningún problema de vocabulario, escribía en un cuaderno de tapas de hule utilizando un código que únicamente ella conseguía descifrar y, para divertirse, jugaba a reconocer a las personas por su olor. Julia demostró una pasmosa facilidad para interpretar los sueños, para adivinar el pasado y para encontrar los objetos que se daban por perdidos, de tal manera que la casa comenzó a llenarse de gente, que venía de lejos a consultar a mi hija sobre inversiones, amores, negocios, traiciones y cualquier asunto del alma y del cuerpo, que la niña escuchaba sin espantarse. Vestía siempre de blanco, se negaba a comer carne de ningún animal con el que hubiese tenido el menor trato, y se anticipaba a mis ataques de nervios antes incluso de que yo los presintiera.

Así fue pasando el tiempo. No mucho, en realidad. Mi hija sólo estuvo en este mundo seis años, y fue la primera en saber que se estaba muriendo, pero no se lo reveló a nadie. Prefirió despedirse de todos poco a poco, inventando las palabras que nos sirvieran de consuelo para el tiempo que nos quedaba por vivir. Se despidió de Fernando con la garantía de que al final daría con África, de su padre con la promesa de que vencería ese amor, y de mí con la esperanza de que cambiaría mi vida.

—La vida no será la misma —me dijo con los ojos encendidos por la fiebre—. Del mismo lugar, primero vendrán personas, y después llegarán cartas.

—¿Cuándo, mi vida? —le pregunté.

—Las personas vendrán pronto, cuando nadie las espere. No vendrán solas: traerán la música y la felicidad. Pero ustedes tendrán que estar prevenidos, porque la felicidad y la desgracia caminan siempre cogidas de la mano.

—¿Cómo que tendremos? ¿Y tú, dónde vas a estar, brujita? —le revolví el pelo, negro y brillante. Ella no respondió a mi pregunta, y yo comencé a inquietarme—. Déjalo, Julia, déjalo. Sabes que no me gusta que hables así. Y además, la vida ya nos ha cambiado: tu padre y yo tenemos la niña más linda del mundo.

—Las personas vendrán pronto —repitió—. Cuando haya contado treinta veces doce meses, llegarán las cartas. Para entonces habrán acabado las historias, pero aún faltará un poco para que se dé usted cuenta.

—¿Cuenta de qué? —le pregunté.

Retiró las mantas que la cubrían en la cama. Se acercó a mí y me besó.

—No ha sido culpa suya —respondió—, no ha sido su culpa. Pero eso no le servirá cuando se dé cuenta.

—Pero, ¿cuenta de qué? Por el amor de Dios, Julia...

—De que sólo ha habido un nombre que debería haber repetido.

Miguel Ventura veló el cadáver de su hija tres días completos, y no permitió que nadie le sacase del cuarto en todo ese tiempo. Allí, le repitió la historia de todas las Julias que habían vivido antes que ella y le reprochó que hubiera muerto tan pronto, sin haberse dado apenas tiempo para nada. Le contó todos los planes que había hecho por adelantado para ella y que ella se iba a perder: subir en globo, viajar en tren eléctrico, montar en automóvil; descubrir otros países, conocer otras personas. Enamorarse. Le suplicó que utilizase sus fuerzas para regresar al mundo de los vivos. Y le rogó que no le abandonase en este lugar ingrato en el que nadie le amaba. Ante su falta de respuestas, se enojó con ella y le imploró después perdón, y cuando comprendió al fin que su hija había dejado aquel cuerpo pequeño y moreno, él mismo se dispuso a abandonar la sala como un hombre nuevo. Y así lo hizo.

Después del funeral lo encontré en el zaguán con una maleta en la mano.

—En unos días vendrán a por el resto de mis cosas —me dijo.

—¿Adónde vas? —di unos pasos hacia atrás y me recosté en la pared—. No te vayas, te lo suplico.

Miguel rechazó mi petición con un gesto de la cabeza.

—Te lo suplico —repetí, y él a su vez repitió el gesto.

—No puedo quedarme, Raquel. No puedo quedarme sintiendo lo que siento, y menos ahora que ha muerto Julia

—Pero precisamente por ese motivo, no puedes irte ahora que ha muerto Julia. Por el amor de Dios, no me dejes sola ahora. No abandones esto ahora, cuando más nos necesitamos el uno al otro.

—Mira, Raquel, nosotros hemos estado solos siempre. Sobre todo yo, pero no es culpa tuya. Tú me lo advertiste: soy yo el culpable, por pensar que podría soportar quererte de esta manera mientras que tú…

—¿Mientras que yo, qué? Yo no he hecho nada, sólo he estado contigo, lo sabes bien. Te he sido fiel, te lo juro, Miguel —traté de no llorar mientras hablaba—. Te he sido fiel y he sido honesta contigo. Siempre te he dicho toda la verdad, te he abierto mi corazón e incluso te he revelado los pensamientos que debería haber callado. No te vayas, te lo pido por lo que más quieras. Haré lo que me pidas, me esforzaré más si es necesario. Haré lo que tú quieras, lo que tú quieras, pero no te marches, te lo pido por favor.

—Es lo mejor, Raquel, lo mejor para los dos, aunque tú no te des cuenta. No tengo nada que reprocharte: es cierto que nunca me has mentido, que has sido honesta conmigo, que me has sido fiel. Nada de eso ha cambiado. Pero quizá no debimos empezar esto nunca —le interrogué con la mirada y él continuó hablando—. Tú no me quieres como a él: no me lo has dicho jamás. No me quieres como a él, y yo tengo que aceptarlo, tengo que salir de esta vida que me está matando de infelicidad.

Dejó la maleta en el suelo y se acercó hasta mí. Me miró y levantó la mano para acariciarme la cara.

—No te preocupes: nunca te va a faltar nada. Y no te culpes. Yo tengo la culpa de todo, por tener estas manos, y este pelo, y esta piel. Por ser como soy, y no como es él. Esa es mi culpa, y no creas que no la voy a pagar.

Sólo ha habido uno, lo sé bien. Sólo ha habido un nombre que no he repetido, y ese silencio me quema en los labios. No ha sido mi culpa, pero mi hija también tenía razón cuando me advirtió: para este dolor no he encontrado consuelo nunca. En toda mi vida.

# CUARTA PARTE

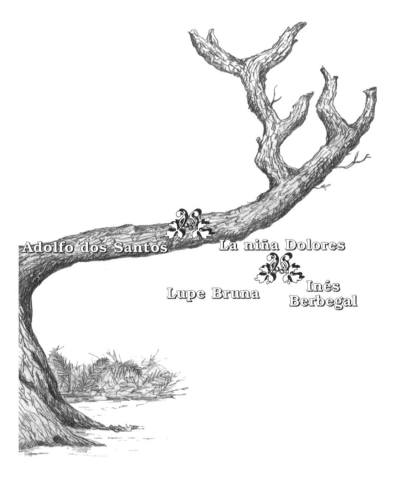

Adolfo dos Santos

La niña Dolores

Lupe Bruna

Inés Berbegal

ELLA HABÍA OMITIDO SUS NOMBRES, PERO TAL COMO predijo la niña Julia, pronto vinieron las personas que nos cambiarían la vida: la maestra Inés Berbegal regresó cuando nadie lo esperaba, excepto yo. Llegó con un traje gris oscuro y un enorme ramo de flores que dejó sobre la tumba de su madre, muerta años atrás de vergüenza. A pesar del tiempo, Inés Berbegal mantenía intacta toda su belleza sobrehumana, para alegría de los hombres y espanto de las mujeres, que comprobaron atónitas cómo la antigua maestra parecía haber detenido el tiempo en la misma mañana en que abandonó el pueblo a escondidas y en silencio. Sus ojos brillaban del mismo modo, su caminar seguía siendo lento, sin prisas, la cabeza ladeada, el cabello rubio, la mirada desafiante. De todas las cualidades que adornaban su rostro y su figura antes de marchar sólo había perdido la sonrisa, especialmente cuando se quedó en pie horas enteras frente a la sepultura de su madre. No sé qué pudo contarle, después de haber pasado la vida entera sin ser capaces de comunicarse, pero la muerte a veces tiene la virtud de restablecer los afectos y volver a unir a las personas, y en este caso dicha propiedad se evidenció con quince años de retraso. Inés Berbegal lloró como nunca, aunque sin perder la compostura, erguida y firme, dejando que las lágrimas resbalasen por sus mejillas, una tras otra, tal vez reclamando un perdón por el abandono, otro por la locura, otro por haberla dejado morir sola, otro por no haber sabido quererla. Quién sabe. No dejó de llorar en silencio hasta que anocheció y la obligaron a dejar el cementerio, porque la maestra Inés no regresó sola, para mayor sorpresa de todos. La acompañaba en su vuelta Lupe Bruna y la pequeña Dolores, que parecían haber asumido el tiempo y los cambios que la maestra Inés se negaba a asimilar en su cuerpo y en su mente.

Lupe Bruna, para empezar, ya no llevaba bigote; al contrario, lucía un cutis tan fino que no parecía pertenecer a la misma mujer iracunda que prometió no salir nunca de su casa para evitar hacer frente a burla ninguna. De hecho, a la vuelta de los años, parecía también haber perdido el temor a la opinión de los demás, y todo en ella lo demostraba: el cabello corto, el cigarro entre los dedos al final de una larga boquilla negra, como en las mejores películas, y un traje de hombre hecho para mujer, que fue Lupe Bruna la primera en todo el pueblo que paseó en pantalones de macho, no se vayan a creer. Tras ella, una joven seguía sus pasos y detenía sus ojos en cada una de las casas, en cada rostro, en cada árbol que encontraba a su paso. Era la niña Dolores, que había recuperado el control de sus músculos, es decir, ya no se meaba de miedo, y que hablaba con un ligero acento francés, no por llamar la atención, sino porque la vida nueva que inventaron para las tres se contaba en esa lengua.

La maestra Inés Berbegal y la abandonada Lupe Bruna llevaron de sus vidas pasadas lo que cabía en una pequeña maleta, y no se les ocurrió mejor lugar para gozar de una nueva existencia en la plenitud que merecían que el mismísimo París de la Francia, que sólo Inés conocía por los libros de texto. Pero igual se fueron, que la vida es larga para arrepentirse, pensaron las dos. Y con razón.

Llegaron a París en junio, cuando las tardes duraban hasta las diez de la noche, y tomaron esa circunstancia meteorológica como un buen augurio para afrontar con espíritu animoso el largo camino que todavía les quedaba por recorrer. Alquilaron un pequeño cuarto desde donde se viese el Sena —por capricho de Lupe, todo hay que decirlo, que no había visto un río en toda su vida— y al que a duras penas llegaba la luz del día, pero no importó: la luz que ellas desprendían era más que suficiente para iluminarlas. Trabajaron sin descanso durante años: Lupe Bruna fregó suelos hasta despellejarse las rodillas, la maestra Inés cuidó de niños, de ancianos y hasta de animales, se convirtió en criada y en enfermera sin perder la sonrisa ni la buena disposición, y para no olvidar sus dotes innatas, educó a la niña Dolores con el firme propósito de hacer de ella una gran mujer. A juzgar por los resultados, parece que lo consiguió.

Trabajaban sin descanso, como les digo, pero al llegar a la casa sin luz, muertas las dos mujeres de puro agotamiento, no había cansancio capaz de impedirles arrancarse la ropa a zarpazos, comerse enteras a besos, rodar por el suelo entre risas y jadeos como dos niñas que se hacían grandes de puro amor.

La niña Dolores siempre lo supo, y agradecía a Dios cada día de su vida que hubiera puesto en el camino de su madre a una mujer como Inés, capaz de hacer que se diera la vuelta completa hasta sacarle de dentro de su alma lo mejor de ella misma. Más tarde, años más tarde, cuando ya no era una niña, añadió otro agradecimiento a su pequeña lista de deudas divinas, pero en este caso las gracias siempre estuvieron empañadas por lágrimas amargas de dolor. Estas son las contradicciones que siempre arrastra el amor.

En París, Inés y Lupe se enseñaron todo cuanto sabían para ponerse la una a la altura de la otra: visitaron museos, sin pasar por alto ninguno, acudieron a depositar flores en las tumbas de los parisinos ilustres, y no dejaron de frecuentar los escaparates de las tiendas de modas, para que Lupe copiase los diseños de los trajes que más tarde cosía para las dos. Lupe comenzó a usar pantalones, e Inés aprendió a decir «te quiero», a cocinar y a remendar la ropa de la niña Dolores; y Lupe, para corresponder a esos afanes, tomó la costumbre de caminar despacio, de pulir modales, de sonreír y de dormir abrazada al costado de su amada Inés. Quiso ser más bella: se cortó el cabello, se cuidó las manos y se arrancó uno a uno todos los pelos que desde siempre habían sobrevivido intactos sobre sus labios. Quiso ser hermosa, porque ignoraba que ya lo era.

De la mano de la niña Dolores, recorrieron los parques de la ciudad, cruzaron todos los puentes e inventaron un lenguaje nuevo, sólo para ellas tres, que demostraba que en la vida todo era posible a fuerza de voluntad. En poco más de unos meses, apenas quedaba el recuerdo de lo que habían sido, cada una por separado y más tarde las dos juntas; paseaban por las calles estrechas buscando justamente su angostura para que sus hombros se rozaran al caminar, compraban flores con las que cubrían sus cuerpos desnudos por el puro placer de quitárselas después, se asomaban al Sena para que el río les devolviese de lleno la imagen de su felicidad, y para cogerse las manos rodeadas de gente, porque también su amor necesitaba gritarse aunque fuera en el silencio, comenzaron a ir al cine. Fue allí, en una pequeña sala de Quentin Bauchard, donde les iba a cambiar la vida por segunda vez, para su fortuna.

Él se llamaba Jean Baptiste, y en la oscuridad de la sala fue capaz de reconocer el amor. A veces ocurre que las personas que aman, y no todas lo han hecho, identifican sin esfuerzo a los de su misma condición. Algo parecido le ocurrió a él, desde el primer día que coincidió con la pareja de amantes en el patio de butacas del cinematógrafo: al apagarse las luces, Jean Baptiste pudo ver cómo Inés acercaba su mano a la de Lupe y entrelazaba sus dedos con los de su amada; permanecieron así, amarradas por diez dedos y sin hablar, hasta que las luces se prendieron y les obligaron a comportarse como lo único que en realidad no eran: como dos mujeres que no se deseaban.

Jean Baptiste las observó cada tarde de jueves, y como hice yo misma años atrás, fue testigo mudo del acto supremo de amor que las dos se regalaban con las luces apagadas. Él sentía sobre todo envidia de la suavidad con la que se acariciaban las manos; hacía tiempo que nadie recorría la palma de las suyas y que sus caricias se perdían en la mirada velada de su mujer. Tampoco ella tenía la culpa: demasiados años para mantener a salvo tantos recuerdos; él bien que lo sabía, y por eso cada día se sentaba frente a Danielle y le repetía su nombre, y le volvía a contar su historia, para que no la olvidara, y le confesaba con pudor cuánto la extrañaba, cuánto lamentaba haber vivido su amor en

195

egoísmo, no haber tenido hijo con los que compartir ahora la angustia de verla ciega, sorda y muda, sin pasado y sin presente, «Danielle, tanto que hemos luchado, tanto que nos hemos querido, para acabar así, para que no seas capaz de reconocerme, de reconocernos», le decía con tristeza. No había en el tono de sus palabras reproche, sino dolor, porque después de pasar la vida entera mecido por el rumor de su risa, Jean Baptiste no era capaz de concebir un mundo sin ese sonido, sin la tibieza de la mano de Danielle acariciando su pecho, sin las promesas de ella, «te querré toda la vida», le había dicho mil veces. Mil veces, era verdad. Se lo había dicho, como mínimo, cada vez que él acudía a su lado con un ramo de flores el día de su aniversario de bodas para agradecerle que permaneciese a su lado, y para demostrarle ella que tenía la intención de permanecer siempre con él, en el mismo sitio, había convertido una de las habitaciones de la casa en un pequeño santuario lleno de fotografías, cuadros, cartas y poemas que atestiguaban aquel amor. «Te querré siempre», le había dicho todas aquellas veces, «y yo a ti», le había respondido él, y ahora Danielle permanecía horas enteras sentada en un sillón a cuadros, sin ver pasar a la gente a través de la ventana y sin mirar ninguno de aquellos ramos, que ella misma había colgado, uno por uno, del techo de la habitación.

Todavía vivían los dos en la misma casa de dos plantas, cerca de Nôtre Dame. En otro tiempo, fue un hotel lleno de gente y de ruidos, pero la enfermedad de ella y la tristeza de él le obligaron a cerrarlo; desde entonces, consumía su existencia en repetirle su propia historia y en recorrer los lugares que habían frecuentado en otro tiempo para buscar las huellas que habían dejado los dos. Así fue como las encontró, sentadas y en silencio, agarradas de la mano, y las reconoció. Poco tiempo después, Inés Berbegal comenzó a cuidar la demencia de Danielle, y Lupe Bruna ayudó a poner en marcha, de nuevo, el pequeño hotel cerca de Nôtre Dame en el que los cuatro volvieron a escribir una nueva vida.

Cuando Danielle murió, sin decir una palabra ni derramar una lágrima, sólo aventajó en dos días a Jean Baptiste, que murió de la misma pena que le había venido consumiendo durante años. Pero antes de morir, el desventurado Jean Baptiste quiso dejar un regalo para Inés y para Lupe, sólo porque tenía la certeza de que ambas perpetuarían el amor que él y Danielle habían sentido la vida entera, por encima de los saltos de la razón y de la memoria. Y así fue como la maestra Inés Berbegal y la abandonada Lupe Bruna se convirtieron en propietarias del Hôtel Violet, el color favorito de Danielle, que asumieron como propio desde el mismo momento en que aceptaron la herencia.

Con sus propias manos pintaron de nuevo las habitaciones del hotel, tejieron las colchas de cada una de las camas y los visillos de cada ventana, y pusieron nombre a cada cuarto. Del antiguo Hôtel Violet sólo respetaron la habitación en la que Danielle había pasado sus últimos años, rodeada de recuerdos que daban fe de su historia: decenas de fotografías, cartas, poemas de amor, y sesenta y tres ramos de flores secas colgadas del techo.

En el hotel soportaron la guerra, sobrellevaron como pudieron la ocupación alemana y cubrieron de flores a los soldados aliados que liberaron la ciudad. Con el tiempo, el pequeño hotel comenzó a ser frecuentado por jóvenes parejas de enamorados, que se refugiaban en los colores alegres del Violet, y en el guiño cómplice de sus propietarias al entregarles las llaves. A aquellos apasionados clientes, pronto se les sumaron viajeros de todo el mundo, que se despedían siempre con la sincera promesa de regresar al hotel. Fue así como Inés y Lupe amasaron una pequeña fortuna, que se multiplicó gracias al acierto con el que invirtieron parte de su dinero. Las dos se convirtieron en otras personas, pero incluso con aquellas nuevas circunstancias ambas guardaron bien dentro lo que siempre habían sido. Y cuando al fin la niña Dolores dejó de ser niña, decidieron regresar.

LA NIÑA DOLORES SIEMPRE SE LLAMÓ ASÍ, AUNQUE creyó que el destino le tenía reservada la misma fortuna que le sonrió a su madre. Nunca tuvo dudas, ni de la persistencia del amor, ni de la verdadera naturaleza de sus sentimientos, de tal modo que pasó la mitad de su existencia esperando al hombre de su vida. Tan segura estaba de que aquel deseo se convertiría en realidad que no sintió dificultad ninguna en identificarlo, por más que en aquel momento el de su vida tuviera de hombre sólo la promesa. No le importó, en cualquier caso. Creció alumbrada por los destellos que desprendía su madre al mirar a su mujer, firmemente convencida de que por fuerza alguien en este mundo temblaría precisamente de esa forma cuando se encontraran, y su experiencia cercana le garantizaba, además, que nada ni nadie podría impedir que sucediera lo que escrito estaba que debía ocurrir. Con aquellos planteamientos no fue de extrañar que la misma tarde que arrancó a la maestra Inés de la tumba de su madre, se encontrase con él y lo reconociera.

Ella había cumplido ya los diecinueve, tenía la piel brillante, los ojos encendidos y el cabello corto. Hacía unos meses que había perdido la virginidad con un turista holandés en uno de los cuartos del Hôtel Violet, y caminaba mirando de frente todo lo que se encontraba en su camino, a veces con curiosidad y otras con desafío: hombres y mujeres, cosas y animales, con el rencor todavía prendido en sus recuerdos. Quería gritarles a todos: «Yo soy mejor que vosotros», vayan a saber por qué, pero se conformaba con guardar silencio mientras avanzaba fingiendo indiferencia al caminar, firme el paso y altiva la mirada. Así fue como le vio. Entre todos los hombres con los que se tropezó en su deambular a lo largo de la vida, la niña Dolores se enamoró de mi hijo en cuanto le distinguió entre los demás, y nunca fue capaz de sobrevivir a aquel sentimiento. Años después, sola y muerta en vida, me lo confesó con su voz suave al ritmo lento en que balanceaba la mecedora.

—No sé por qué tuve que sentir un amor que era más grande que yo —me dijo, mirando fijamente sus manos viejas.

—El amor no tiene razones, hija —le respondí también con la mirada prendida en sus dedos tres veces más ancianos que los míos.

Yo tampoco supe nunca el motivo, ni de su amor ni del mío, pero así fue como resultaron los dos. Ella le reconoció sin dudarlo, escondido tras un par de piernas humanas y cuatro patas de animal, las primeras de Fernando Resurrección, y las segundas de la mula de la que les hablé. La niña Dolores era ya una mujer, y él no era más que un niño escurridizo y asustado que había decidido no volver a hablar en lo que le quedaba por vivir, ignorante como era del hecho de que la vida termina por ser demasiado larga, y aunque no queramos, en tan prolongado camino acabamos encontrando siempre algo nuevo que decir.

Como les he contado, Adolfo dos Santos le tenía miedo a sus propias palabras, así que había resuelto no dejarlas nunca salir de sus labios. Así fue como le conoció la niña Dolores, y por alguna extraña razón fue capaz de descubrir en su interior lo que ninguno de nosotros había sabido ver hasta ese instante. El amor a veces nos regala esas percepciones, se lo he advertido, ¿recuerdan?, y es curioso que siempre ocurra de esta forma cuando uno de los dos es el que más ama. Porque esto fue justamente lo que sucedió en el caso de la niña Dolores; el amor la volvió fuerte, y le otorgó cualidades que hasta entonces no tenía: sabiduría para comprenderle, tesón para acompañarle, clarividencia para intuirle y paciencia para esperarle, que fue lo único que ella hizo desde entonces y para el resto de su vida.

La niña Dolores se olvidó de sus modales, dio marcha atrás a su vida y se convirtió de veras en una niña para ponerse a su altura; le acompañó en sus juegos y en sus tareas, las manos siempre sucias y los labios siempre sellados, se negó a dejar la casa con la excusa de cuidarla: tardó años en regresar a París, aunque con el tiempo sólo accedería a salir de allí para acompañar a su marido en sus viajes. Aprendió el lenguaje de los signos, inventó una manera para comunicarse con él a través del silencio, descubrió los defectos y virtudes de Adolfo dos Santos, y fruto de esa exhaustiva observación fueron los más sorprendentes acontecimientos que sucedieron en la vida de mi hijo.

Fue ella la primera que percibió por pura casualidad la admiración que preñaba la mirada de mi hijo cuando observaba los discos de vinilo que sólo se desempolvaban en verano, cuando la maestra Inés y

Lupe Bruna regresaban a la casa y bailaban en la sala sus viejas canciones de amor. Y fue también ella quien le descubrió un día cuando, a escondidas, accionaba la manivela de la gramola y escuchaba todas las notas que salían de la bocina con los ojos cerrados y expresión extasiada. La niña Dolores supo antes que nadie de su capacidad prodigiosa para memorizar las letras de las canciones y de su talento asombroso para los idiomas, lo que son las cosas: él, que no hablaba en el suyo, dominaba con soltura el resto de las lenguas del mundo.

La niña Dolores le animó a cantar, y cuando la voz terminó de mudarle ya no tuvo dudas. Hasta entonces se había conformado con encargar nuevos discos en cualquier idioma y género que después dejaba sobre el gramófono para que él los encontrara, pero cuando Adolfo dos Santos definió por fin sus gustos, y ella le escuchó cantar a Offenbach con su timbre nuevo, comprendió que eso no bastaba para fomentar su futura profesión de cantante. La niña Dolores puso todo su empeño y su dinero, a iguales y generosas partes, a su entera disposición. Convenció a la maestra Inés para que volviera en pleno invierno y juntas lo escucharon a escondidas, una con la admiración desbaratándole el pecho y la otra con la certeza de haber descubierto un diamante en bruto al que sólo había que pulir para que todos compartieran aquel prodigio.

Trajeron a un profesor de canto de la misma Italia, a un sastre de París y a un barbero de Sevilla, un guiño acorde con el futuro que le esperaba a mi hijo, y entre los tres fueron tallando con paciencia aquel diamante, hasta que nadie tuvo nada nuevo que enseñarle y la maestra Inés decidió que era el momento de mostrarlo al mundo entero. En el transcurso de aquel aprendizaje nadie preguntó nada a mi hijo, para qué, si no iba a contestarles, y así fue como la niña Dolores se dispuso a abandonar aquella casa, ocho años después del día en que se enamoró y se entregó sin freno a un sentimiento que resultó ser más grande que ella, tal como confesaría años más tarde.

La niña Dolores tenía casi treinta años, el alma agitada y una pasión contenida que no iba a poder guardar dentro demasiado tiempo, de manera que resolvió que lo mejor sería afrontar de cara la situación. Se tomó su tiempo. Intuía de qué tipo sería la respuesta, pero igual se encerró en el baño y llenó la tina con agua hervida con pétalos de rosa y gotas de sándalo, jazmín y neroli, y permaneció dentro hasta que la piel se le arrugó como la de una vieja. Aterida por el frío, se empolvó con talco, se rizó las pestañas, se afinó las cejas, se pintó los labios, se sacó los rizos y se perfumó después de ponerse el único vestido que él había parecido mirar con aprobación en todo aquel tiempo. Cuando el tejido había terminado por deshacerse de tanto uso, encargó que le cosieran tres trajes idénticos, para asegurarse que siempre encontraría el modo de agradarle. Aquella tarde, como no podía ser de otra forma, también se cubrió con uno de ellos, y cuando recobró el control de sus nervios, salió del cuarto dispuesta a encontrarse con el muchacho.

Adolfo dos Santos tenía muy cerca los veinte años, y no había cruzado más de cinco frases con Dolores cuando ella le propuso matrimonio, ignorante de que no había ningún detalle ni de su vida ni de su alma que ella no hubiera descifrado.

—Adolfo —le llamó en un susurro—. Ya sé que tú y yo no hemos hablado mucho hasta ahora, pero hay algo que debo decirte.

—¿De qué se trata?

—Bueno, verás —la niña Dolores estaba nerviosa. Se frotó las manos sobre el regazo para disimular su inquietud—. No sé cómo decírtelo. Sé que te va a sonar raro, pero es que, en fin, creo que lo mejor sería que tú y yo nos casáramos.

Él la miró fijamente, aunque sin mostrar excesiva sorpresa, y tragó saliva antes de contestar.

—No podemos casarnos, Dolores —le dijo él.

La niña Dolores, aunque hasta ese momento no había querido admitirlo, conocía el por qué: hacía ya tiempo que había observado el modo en que Adolfo miraba a su sastre parisino mientras aquél le tomaba las medidas de los camales de sus pantalones. Lloró amargamente, tan amargamente como venía llorando desde que se enamoró, pero al fin la cordura terminó por imponerse: él no la amaba, qué importaba entonces a quién desease el amor de su vida. Y así consiguió dejar de llorar.

Ella le interrogó con la mirada tratando de recomponer la compostura, mientras esperaba de Adolfo la confirmación a sus sospechas, y él se vio obligado a añadir la confesión.

—Dolores, no te ofendas. No es por ti. Tú eres una mujer bellísima, llena de clase y de estilo. Pero es que yo creo que me a mí gustan los hombres —dijo bajando la voz.

—Ya lo sabía. ¿Y qué? No te he hablado de amor, sino de matrimonio —respondió ella con firmeza.

Por más vueltas que le dio, Adolfo dos Santos no fue capaz de encontrar argumentos que impidiesen el matrimonio, así que en aquella misma conversación fijaron la fecha para la boda: sólo dos meses más tarde. Ella acarició con sus propias manos el único sueño que había soñado desde que podía recordar, y para que aquellos sesenta días pasasen más rápidos no dejaron de hablar, «para conocernos mejor» argumentaba ella. De algún modo consiguió que él pusiera voz a todo cuanto sabía: colores, sabores, deseos y temores quedaron al descubierto, como si alguna vez hubieran sido secretos para ella. Adolfo le reveló el temor de las horas de encierro, el dolor de sentirse culpable, el placer inmenso de gritar a viva voz y al ritmo de la música lo que de ninguna otra forma se atrevía a decir, la curiosidad infinita por los de su mismo sexo, la seguridad de ser diferente a los demás.

—No te preocupes —le advirtió ella—. Nosotros seremos lo mismo.

Y así fue. Para comenzar a limar diferencias, ella le habló de sí misma. Le contó en qué modo oscurecía en París, cuando la luz de la tarde se fundía con el color de las aguas del Sena, le confesó hasta qué punto envidiaba el amor que su madre sentía por Inés. Le habló del hotel que fue de Danielle, de su virginidad perdida, del turista holandés, y hasta inventó fantasías con los tres que no tardarían en hacerse realidad, en otros cuartos de hotel y con otros hombres distintos. Lo único que no le dijo, ni entonces ni nunca, fue cuánto le amaba, más que a nada y más que a nadie, más que a ella misma y más que a todas las cosas que hubieran podido mantenerla firme del lado de la cordura. No le dijo nunca que él lo era todo, que él era su nombre, que él era su Dios, que no importaba que él no la correspondiera, si a pesar de todo le permitía amarle. No se lo dijo nunca, mi pobre niña Dolores, pero le prometió que ambos serían lo mismo, y fue tal el empeño que puso en cumplir su palabra que, por el camino, se perdió a sí misma.

El nuevo matrimonio se instaló en París, en un ático de la calle Jean Lantier, desde el que se podía escuchar el rumor de los barcos que recorrían el Sena, del que tantas veces ella le había hablado mientras preparaban su boda. Las primeras noches se mantuvieron despiertos, y jugaron a poner nombres a cada sonido que conseguía trepar por el edificio de piedra para llegar hasta ellos. También bautizaron a las estrellas, a los turistas con los que se cruzaban por las callejuelas, a las gárgolas de Nôtre Dame que a ella la atemorizaban y a él le hacían reír. La niña Dolores también se reía, sin ningún motivo: sólo era feliz, y creía, inconsciente, que aquella felicidad duraría para siempre.

Se sentía dichosa en París, pero aun así se negó a permanecer en la ciudad cuando él firmó el contrato de sus primeras giras.

—Yo no me he casado contigo para esperarte en París: yo quiero conocer el mundo a tu lado —protestó.

—Tal vez cuando esté de viaje no resulte como en París, cuando estamos los dos solos —Adolfo trató de ser sutil—. He conocido a algunos de mis compañeros de gira, y quizá no sean de tu agrado.

Dolores le miró a los ojos.

—Ya sé quién eres: lo he sabido siempre. Quiero estar contigo, Adolfo, quiero verte triunfar. No me niegues ese derecho.

Dolores le escuchó cantar en el Covent Garden de Londres, en La Fenice de Venecia, en el Liceu de Barcelona, en La Scala de Milán. Viajaron a Londres, a Viena, a Nueva York, a Munich, a Roma. Juntos recorrieron el mundo entero, y tal como ella le había pedido, él permitió que atestiguase su éxito. Pero no sólo fue testigo de las conquistas de Adolfo sobre el escenario.

La niña Dolores lloró amargamente todas las veces que Adolfo la expulsó de su cama, y pueden creer que no fueron pocas; el alma entera se le volvía loca. Le dolían los brazos, le quemaban las manos, le ardía la piel. Sentía en ella todas las caricias con las que Adolfo acariciaba otros cuerpos, y en la lengua se le enredaban los besos que él no quería darle, incluso cuando eran los dos quienes disfrutaban juntos de otra compañía, y ella fingía un placer que en absoluto sentía. Prefería mil veces estar muerta que seguir soportando aquel sufrimiento inhumano, y acariciaba la idea de saltar al vacío y estrellar su cuerpo contra los adoquines de la calle, pero al final de la noche era ella la que abrazaba a Adolfo dos Santos en el calor de la cama, en la que todavía rezumaban los olores dejados por otros hombres. Aunque él les desease a ellos, era ella la que paseaba los dedos por su espalda, la que le contaba un cuento antes de dormir. Y con eso le bastaba.

Aún ahora me pregunto por qué no fue capaz de responderle nunca cuantas veces él le preguntó: «¿Por qué haces esto?». Y miren que tuvo ocasión: le preguntó por qué cuando se cortó el cabello, cuando dejó de lucir faldas y comenzó a usar calzones de ropa interior, cuando se fajó los pechos y cuando musculó su espalda hasta hacerla digna del más esforzado atleta, aunque no fuera eso lo que ella quería.

Le preguntó también por qué mientras trataba de recomponer el pulso la primera vez que Dolores se coló junto a él en la cama con uno de sus amantes, y repitió la pregunta cada vez que ella le consolaba siempre que un hombre le abandonaba.

—¿Por qué lo haces? —le interrogaba.

Ella se encogía de hombros y sonreía. Mi hijo había heredado de su padre sólo el talento musical; de haber recibido en herencia también su poder mental no hubiera tenido dificultad para escuchar la contestación de la niña Dolores: «Porque sin ti no soy nada —pensaba ella en silencio mientras le acariciaba el costado—. Porque sin ti no soy nadie». La niña Dolores le miraba, tratando siempre de reprimir las lágrimas, y continuaba callando la respuesta: «Porque sin ti no recuerdo mi nombre, y sin ti no tengo cuerpo, y sin ti no tengo Dios», seguía pensando al mismo tiempo que recorría el pecho de él con la mano abierta y con el corazón golpeando salvajemente en la yema de sus dedos. «Y sin ti no tengo Dios», repetía en su pensamiento antes de besarle despacio en la boca.

Él cerraba los ojos y acariciaba la nuca de ella, creyendo encontrar en el gesto el cuello de un hombre; esquivaba los senos minúsculos, la cintura breve, recorría los brazos, el torso, los muslos, y con suavidad y maestría hacía girar su cuerpo, separaba sus piernas y se le colaba dentro, haciendo golpear su pecho contra la espalda de Dolores, arañándole las caderas y dejando que entre sus suspiros se deslizasen siempre nombres que nunca eran el suyo, mi pobre Dolores, que tanto le demostró que él era más importante que ella misma, que al final Adolfo dos Santos no tuvo más remedio que terminar por creerlo.

Y así transcurrieron los años, bien pocos en realidad; ella se dispuso a pasar la vida entera en semejante actitud, dando por bueno cualquier sacrificio para complacerle, que así de grande era su amor. Pero la vida entera se le reveló demasiado corta la misma mañana en que despertó abrazada al cadáver de su marido, diez años más tarde de su boda y tras casi veinte de andarse buscando. Lo he repetido mil veces, y no me canso de repetirlo: así son las cosas.

Dolores guardó la compostura hasta después del funeral. En un último homenaje al hombre de su vida, ella quiso mantener la igualdad hasta el momento final, y como el macho que había pretendido ser, guardó las lágrimas, presidió el cortejo y recibió el pésame del mundo entero, que como la maestra Inés había supuesto no tuvo más remedio que rendirse ante la voz asombrosa de Adolfo dos Santos. Pero después del entierro en el cementerio de Montparnasse, volvió a ser lo que siempre había sido: la niña Dolores. En menos de una semana, vendió todas las propiedades que habían atesorado a lo largo de su vida en común y que le habían correspondido en herencia, incluida la casa de París de la calle Jean Lantier en la que había conocido la felicidad. Se deshizo de todos los trajes de hombre que permanecían guardados en su armario, y tiró la ropa de mujer que se había acumulado en el fondo de cientos de baúles; regaló las joyas y donó el dinero a manos llenas, hasta que la gente que la conocía no supo si tacharla de santa o de loca, y cuando no le quedó nada que regalar ni pasado del que desprenderse, tomó la pequeña maleta de cartón que su madre y la maestra Inés habían llevado a París en su viaje de ida, y emprendió el de vuelta al único lugar del mundo en el que todavía permanecían intactas las huellas de lo que ella y Adolfo dos Santos habían construido.

Fernando Resurrección, que nunca había parecido reparar en ella, fue el primero que supo su vuelta. A la vejez, hizo suya la condición que de joven le había permitido a su hijo postizo desafiar al tiempo, y mostraba su rostro arrugado sin aparentar edad. Por lo cansado del gesto y por el tiempo que habíamos pasado juntos cuidando el uno del otro, debía de andar por entonces rondando el siglo, pero se negaba a abandonar un mundo que no daba prueba ninguna de que África Sánchez —el amor de su vida, ¿recuerdan?— estuviese muerta.

—Yo, de aquí no me muevo —decía, enfadado, entre dientes, si alguna enfermedad del cuerpo o de la mente amenazaba su firme decisión—. Yo, de aquí no me marcho sin África.

Caminaba despacio y arrastraba los pies a cada paso, vencido por el peso de tanta espera y de tanta soledad. Siempre tuvo frío. Tan calamitoso era el estado de su corazón desde que su mujer le abandonó, que la sangre apenas si se mantenía caliente, y se veía obligado a vestir siempre camisa de franela y chaqueta de lana, y protegía sus piernas cansadas con pantalones de pana, sin importarle las estaciones ni las burlas de los demás.

Arrastraba los pies hasta llegar a lo más alto del pueblo, una colina pelada y yerma desde la que en los días claros se podía intuir el brillo del azul del mar, como si aquella promesa de brisa marina fuese a devolverle el rumor de la risa de África Sánchez al cabo de los años. De allí regresó un atardecer, se sentó a la mesa frente a la sopa caliente con la que pretendía dar calor al cuerpo, y anunció, solemne:

—Regresa a casa la niña Dolores.

YO TODAVÍA ANDABA LLORANDO LA MUERTE DE MI hijo Adolfo, y a escondidas y en silencio musitaba insistente su nombre, una y otra vez, Adolfo dos Santos, Adolfo dos Santos, mi hijo, mi Adolfo dos Santos, para que supiera de mi inconsolable pena, y para que ni por un momento creyese que sentía su muerte menos que la de su hermano mayor, que no por muertos iban a dejar de estar celosos de mi cariño de madre, no crean. Así que comprenderán que no le hiciera caso, y que como única respuesta a su demencia de viejo respondiera con una cucharada más de caldo humeante en su cuenco de porcelana. No hice caso de su advertencia, les digo, pero no por ello llegué a sorprenderme cuando a los dos días regresó a su casa la niña Dolores.

Llegó de madrugada, en un automóvil negro y ruidoso, y con una única maleta minúscula. No necesitaba más. Se encerró en la casa donde le había conocido y mantuvo clausuradas todas las habitaciones, excepto la sala de baile, en la que dejó que sonaran ininterrumpidamente todas las óperas en las que cantó mi hijo, en el transcurso de cada una de las cuales había permanecido oculta entre las tramoyas del teatro, y en las que siempre había creído desfallecer de dicha cuando Adolfo dos Santos protagonizaba con su voz grave aquellas historias que ella no hubiera dudado en pagar con la vida a cambio de que él la pensara al entonarlas. Pasó tres días encerrada, sin comer, sin dormir, esperando que su marido le enviase una señal a través de sus canciones, tal como había ocurrido años atrás. Así la encontró Fernando Resurrección, que arrastró hasta allí su pesado caminar atraído por la voz de Adolfo —a quien siempre quiso como a su auténtico nieto, de más está que lo diga— y por el terrible olor a pena del llanto que la niña Dolores se negaba a llorar.

Entró en el cuarto sin hacer ruido, y llegó hasta donde ella estaba, recostada en la mecedora con los ojos cerrados. En sólo setenta y dos horas, el cabello le había crecido y se le había vuelto oscuro, y las caderas le habían ensanchado, como si la naturaleza reclamase el lugar que el amor le había usurpado, pero la niña Dolores se negaba también a escuchar otra cosa más que su propio deseo, «y sin ti no tengo cuerpo», pensaba desde que lo descubrió sin aliento al lado mismo de donde estaba ella rezumando vida con insolencia. Por eso en su maleta había colocado un solo traje, y se había vestido con él en cuanto puso el primer disco en el viejo gramófono.

Tenía el cuerpo suelto, y la falda remarcaba las caderas; era de color marfil y de seda de chiflón moiré, con cintas en lamé de plata, bordados con aljófares, hilos plateados y abalorios blancos. Lo único que faltaba en su traje de novia era el velo de seda de damasco y la tiara de falsos brillantes, que debieron perderse en el trajín de último y precipitado viaje. Fernando Resurrección la vio diez años después tal como la recordaba el día de su boda, pues mantenía idénticas la mirada encendida y la espera cuajada en la cara. La comprendió de inmediato, con ese entendimiento que sólo comparten quienes lo han perdido todo.

—¿Qué haces aquí, niña? —le preguntó con dulzura contagiosa.

Ella abrió los ojos, apenas un instante, justo para reconocer a Fernando Resurrección, escondido entre las arrugas de su cara vieja.

—No estoy loca —se justificó, alisando la falda del traje de novia.

—Lo sé, hija —respondió él.

La niña Dolores, ya no tan niña con varias décadas cargadas a su espalda, entornó los ojos y continuó hablando.

—He pasado la vida loca, toda la vida, pero ya sané. Ahora sé lo que tengo que hacer —le miró—, porque sin él no recuerdo mi nombre, y sin él no tengo cuerpo, y sin él no tengo Dios.

Fernando Resurrección asintió despacio al escuchar sus palabras.

—Así que he venido a esperarle —finalizó ella.

El viejo la miró y cubrió su mano con sus dedos temblorosos, en parte por la vejez y en parte por la emoción.

—Haces bien, hija. A nosotros no nos queda más remedio que esperar. Yo te comprendo, para mi mal.

Fernando Resurrección permaneció a su lado días enteros, escuchando una ópera tras otra, siempre en la voz de Adolfo dos Santos; consciente como era de que lo único que ambos compartían era todo el tiempo del mundo para esperar, esperó pacientemente a que ella empezase a llorar. Prendió las velas, las apagó, sorteó el hambre, esquivó el sueño y se mantuvo alerta hasta que la niña Dolores comprendió que tampoco de ese modo iba a hacerlo regresar, y comenzó a llorar su ausencia con el desamparo de quien ya no tiene nada por lo que esperar.

Fernando Resurrección le brindó entonces su hombro, y entre llantos ella pudo escuchar cristal de sus huesos chocando unos contra otros.

—Es que soy ya un viejo —se excusó él, avergonzado, al intuir el motivo de su extrañeza.

Ella sonrió al fin.

—No estoy loca —repitió.

—Lo sé, hija, te lo dije hace días.

—Ya sé que ha muerto —murmuró—. Ya sé que no va a volver... Ya sé que no se compadecerá ni de mí ni de mi dolor, por más que yo no recuerde mi nombre, y sin él no tenga cuerpo, y sin él no tenga Dios, aunque nunca se lo haya dicho. Y no estoy loca. Pero el traje yo no me lo quito.

—Como tú quieras —convino el viejo.

No se lo quitó. Con su traje de novia puesto no dejó de mecerse ni un sólo instante, día y noche, ignorando el sueño, la risa de los niños que asomaban su cabeza a la ventana para burlarse de ella, el hambre y la suciedad. Cansados de luchar por que se lo quitase aunque fuera un instante, resolvimos bañarla una vez al mes, incluido el vestido, que a fuerza de tantos lavados terminó perdiendo su antiguo esplendor. Y así volvieron a pasarle los años, con los ojos cerrados y la mente inquieta, recordando cada día toda la vida vivida al lado de él y preguntándose sin descanso qué hubiera podido hacer para que todo hubiera sido distinto, sin encontrar ni respuesta para su pregunta ni consuelo para su dolor.

Sólo de vez en cuando, la niña Dolores recuperaba la conciencia y recobraba la vista, el oído, el olfato y hasta el sentido del tacto, pero incluso entonces pasaba su tiempo ocupada en rebuscar entre las historias de Adolfo dos Santos y revisando amarillentos recortes de prensa y fotografías antiguas, en las que Adolfo aparecía invariablemente mostrando toda su belleza, pero en las que ella se veía siempre reducida a una sombra borrosa, sin que la imagen sirviera siquiera para recordar el color rubio de su pelo corto ni el brillo enamorado de sus ojos negros, que eran las dos únicos recuerdos que guardaba de sí misma.

—¿Por qué no aparezco en la fotografía, Raquel? —me preguntaba, balanceándose desesperada.

—Son viejas —argumentaba yo.

—También son viejas para él —protestaba la niña Dolores—, y él sí que sale.

Yo alisaba despacio el cabello, una caricia compartida con Fernando Resurrección, y me negaba a darle mi respuesta, que la tenía, no crean. Solidaria con su dolor, no quería recordarle antiguos agravios, pero hacía mucho que Fernando Resurrección se había impuesto como norma de obligado cumplimiento decir siempre la verdad, con el propósito de hacerse más fácil darle crédito a lo que dijeran los demás, un truco como otro cualquiera. A pesar de esto, también él había pasado mucho tiempo retirándole el cabello de la frente, en el intento de consolarla con su sentida caricia, hasta que no le quedó más remedio que asumir que con lisonjas y mentiras, Dolores, convertida ya en su niña, tampoco sanaba.

—Porque tenías el alma enredada —le dijo, al fin.

Ella le miró sorprendida.

—Porque sin él no tenías cuerpo, tú misma lo dijiste, ¿es que no te acuerdas? —continuó—. Ésa es la razón por la que no puedes salir en las fotografías: porque sin él no tenías cuerpo —repitió.

—Pero él estaba conmigo, estaba a mi lado, ¿no lo ves? —protestó la niña Dolores.

—Pero sin él no tenías cuerpo, y él nunca te perteneció: así que no tenías nada que mostrar al fotógrafo —le explicó Fernando Resurrección—, porque tú necesitabas algo que él nunca te pudo dar.

La niña Dolores entornó los párpados, negándose a permitir que una sola lágrima diese por buenas las duras palabras de Fernando Resurrección. Para agradecerle el gesto, él aproximó su silla baja de anea a la mecedora, y acercó sus labios al oído de ella para convertir en íntima la confesión que se disponía a hacernos a ambas.

—Yo te comprendo, para mi mal —repitió, en voz baja

Era cierto. Fernando Resurrección siempre sintió la imperiosa necesidad de que África Sánchez justificase en voz alta todo aquello que sentía, y de nada le sirvió el brillo de su mirada, la adoración de sus gestos ni la rendición de su cama. África Sánchez siempre anduvo desmayada en el eco de su voz, desde que ambos se reconocieron en la húmeda colonia, ya les dije, pero a Fernando Resurrección se le figuraba poco menos que imposible que alguien como ella, pura hembra enmascarando puro corazón, le amase de aquella forma.

—Justamente a mí, fíjense —nos dijo, mirándome de reojo y sin dejar de acariciar el largo cabello negro de la niña vieja—. A mí —repitió—, que no tuve reparo ninguno en abandonar mi vida, mi familia y mi pasado por una mujer, aunque fuera por una mujer como ella.

Para ser honesta les diré que, en los primeros años, Fernando Resurrección no encontró lugar para las culpas, ocupado como estaba en enderezar su vida y su nombre recién estrenados. Pero un día, sin aviso, le vino a la mente de golpe el olor a ropa limpia que envolvía a su mujer.

—Y no es que África anduviera sucia, no se vayan a creer —se justificó Fernando Resurrección, arrebujándose en su silla y acomodándose a su reciente locuacidad.

Y agarrados a la ropa almidonada y blanca de la primera esposa llegaron al tiempo el recuerdo de sus verdaderos hijos y el sentido de la culpa.

—Ustedes dirán lo que quieran, pero hay que ser bien hijo de la gran puta para abandonar de esa forma a la sangre de tu sangre —dijo—. Y entonces ya no lo pude aguantar.

Ya no lo pudo aguantar. Cada mañana salía de la cama agotado y sudoroso, con el firme propósito de no regresar. Fue en vano: siempre acababa volviendo a la casa, donde más superior que todas sus fuerzas era la mirada cálida que le regalaba África Sánchez en el reencuentro diario, como si aquél instante se volviera milagroso. Puede que lo fuera, y para agradecerlo, ella mandaba a jugar o a dormir a Jorge Carlos Valentinetti, sin importarle la hora ni el clima.

—Ya volverá —le decía, sensual.

Y como si aquellas palabras, repetidas cada día con la misma sonrisa y la misma entonación, fueran la promesa de un manjar divino, Fernando Resurrección se dejaba envolver por los aromas voluptuosos que encerraba el gesto de África y perdía en un instante la capacidad de recordar sus recuerdos.

—Yo tampoco tenía nombre, sin ella, aunque me inventara uno falso —susurró mientras la lágrima perpetua brillaba en sus ojos—. ¿Lo ves, niña?

África Sánchez borraba con su lengua de fuego cualquier atisbo de remordimiento en la mente de él; al tiempo que la ropa le arrancaba la culpa, y así como conseguía que el cuerpo le creciera hasta reventar, era capaz de hacer que la certeza de ser lo que era, aquí y ahora, regresase a él; y entonces se volvía generoso como solía: se olvidaba de su cuerpo y de su placer, y se disponía a pasar horas enteras explorando el continente inacabable en que ella se convertía para él, siempre dispuesta a ofrecerle un lugar nuevo y cálido en el que pudiera guarecer todo su cansancio y todo su temor.

Y cansado y temeroso le sorprendía el día, con el arrepentimiento escondido detrás de la última sombra. Abandonaba deprisa la cama —adivinen—, agotado y sudoroso, y con el firme propósito de no regresar. Para conseguirlo, se deslomaba en el puerto cargando más peso del que podía soportar, y adquirió la costumbre de gastar medio sueldo en vino y el otro medio en putas, con perdón, para ver si de ese modo era más fácil resistirse a la mirada encendida de ella.

—Encendida no: caliente —puntualizó Fernando Resurrección, ensimismado en sus recuerdos.

Trató de enfrentarse a la mirada caliente de África Sánchez gastando su dinero en vino y en putas. Pero ni por ésas lo consiguió. Ella asumió la crisis que golpeaba su familia sin imaginar en un principio la causa; se armó de paciencia, ignoró su propio pasado de puta, perdón otra vez, y multiplicó como pudo todo aquel amor que podía sentir en el centro de su pecho, el mismo que la hizo subir a un barco sin importarle el destino, y que al cabo de los años le servía para aguantar los engaños y los silencios de Fernando Resurrección, con la seguridad de que todo terminaría por arreglarse. Aunque en el fondo de su alma tal vez sabía que se equivocaba.

—Una mañana la encontré llorando —continuó Fernando Resurrección.

Una mañana la encontró llorando, y al verla llorar sintió que la culpa se burlaba de él en su misma cara sorprendida. La sangre le hirvió en las venas.

—Le pregunté: «¿por qué lloras?» —dijo con su voz vieja.

Ella le miró, los ojos bañados de llanto y los párpados hinchados de sueño. Fernando Resurrección la abrazó, y literalmente bebió una a una sus lágrimas: quería ser sólo él quien llevase dentro todo aquel dolor, ya saben, el dolor inmenso que tiene el remordimiento, pero lo único que saboreó estallándole en la boca fue el sabor salado y amargo de la pena de ella.

—Dime por qué me quieres, dímelo al menos —le suplicó él, agarrándola del brazo, con la absurda certeza de que en sus palabras hallaría consuelo.

África Sánchez le miró, incrédula.

—Cada noche vuelves a casa borracho y sin dinero, después de haber estado Dios sabe dónde y con quién, y encima pretendes que te explique por qué te quiero —le contestó, aturdida por el insomnio y la vehemencia de él.

Fernando Resurrección nos miró a la niña Dolores y a mí buscando una respuesta, y ante la falta de reacción en nuestros rostros, continuó acariciándole el pelo.

—No supe decírselo —tragó saliva y miró a la niña Dolores, que por primera vez en muchos años, fíjense bien, mostraba interés por la vida de alguien que no fuese Adolfo dos Santos—. No supe explicarle que sólo con sus razones para quererme podría hacerlo también yo. No supe hacerle entender que si sabía qué era lo que ella veía en mí para quererme de esa manera, tal vez yo podría perdonarme.

—Pero el amor no tiene motivos —protestó la niña Dolores.

—Eso mismo dijo ella —murmuró Fernando Resurrección.

Eso mismo dijo África Sánchez, que el amor no tiene motivos, pero aun así él insistió en la pregunta. Y fue entonces cuando ella le confesó que le amaba de esa forma porque estaba presa del calor que sus manos desprendían al acariciarla, y del sabor de sus suspiros al enredarse en la boca. Y todos ustedes conocen el desenlace de la historia: él no la creyó, y siguió sin creerla las veces que le contó que le quería desde antes incluso de haberle conocido, ni cuando le reveló que le quería porque le había buscado en cada hombre —y pueden imaginar cuántos hubo—. No fue suficiente que le jurase que le quería porque no concebía la vida sin él, que le quería por su pelo, por sus manos, por la fuerza de sus brazos, por la pasión de su amor, y tampoco le sirvió que se rindiese a la evidencia de que le quería simplemente porque no podía evitarlo.

No fue suficiente, les digo, y él regresó cada noche a la casa borracho y saciado de otros sabores y otros cuerpos, dispuesto a cobijar en su abrazo el olor a vino y mujeres que traía adherido a la ropa. África Sánchez pudo soportarlo mucho tiempo, pero finalmente abandonó la lucha: con sus besos borraba sin celos los que otras habían dejado y con el licor de su cuerpo anulaba el efecto narcótico del vino barato, pero por más que lo intentó, nunca pudo vencer el olor de la culpa que inevitablemente él traía prendido en el alma.

—Cuando regresé una noche, la encontré de pie en la escalera —dijo, con voz apenas audible—, con la maleta en la mano.

Cuando regresó una noche la encontró de pie en la escalera, con la maleta en la mano. Hacía horas que África Sánchez lo esperaba y meses que tramaba la huida. Pidió dinero prestado a una amiga que le debía un favor –ya saben, ya les conté–, y con la certeza de que jamás lo devolvería compró el pasaje, sabiendo esta vez a qué lugar se dirigía: de regreso a casa, de donde salió años atrás sin saber que terminaría encontrándose con el amor de su vida, y que al cabo de otros tantos años volvería allí después de perderlo.

—Le pregunté adónde iba —continuó Fernando Resurrección.

Le preguntó adónde iba, y África Sánchez le miró con una tristeza infinita, la maleta en una mano y el sombrero en la otra.

—Contra tu pena no puedo luchar, Fernando —le respondió—. Tú no soportas quererme, y así no llegaremos a ningún sitio. Hay veces en que para querer a alguien has de olvidarte de todo, y reírte de todo el mundo, pero de verdad, y tú no has podido hacerlo.

Dejó de hablar un instante, y contuvo al mismo tiempo el aliento y el impulso de abrazarlo por última vez.

—Eres un buen hombre —le miró—. Un buen hombre —repitió y le sonrió—. El mejor... Un buen hombre afortunado, además: hay muy poca gente que tenga tu suerte —le acarició la cara con el dorso de la mano—. Pero tanta fortuna no te va a ayudar cuando empieces a lamentarte por esto.

—Y así fue —concluyó Fernando Resurrección.

Así fue. Y como me había advertido mi hija antes de que transcurrieran treinta veces doce meses, el día en que las historias terminaron fue precisamente cuando llegaron las cartas.

ERNESTO PLACERES NUNCA PUDO DOMINAR LOS acontecimientos que le cambiaron la vida, y si no consiguió controlarlos, mucho menos fue capaz de presagiar lo que estaba por venir. De esta manera, los sucesos más cruciales siempre le pillaron desprevenido, como cuando asesinó a aquel hombre por una disputa de cartas y después ayudó a su mujer a dar a luz. Nunca pudo olvidar aquella noche: la sangre del padre muerto confundiéndose con la de la hija que estaba naciendo, la mirada sobrecogida de la madre, la culpa que —tal como intuyó en ese instante— no dejaría de sentir. Nunca había vuelto a mirar a la cara de aquella mujer, Paula se llamaba, la conocía bien. Pero aquella noche infausta no fue la peor. Otra noche se peleó con su esposa, no recordaba demasiado bien por qué, pero cuando despertó de la borrachera viajaba en un camión que lo llevaba a la guerra. Entonces no lo sabía, pero jamás, en lo que le restaba de vida, iba a volver a verla: de haberlo sospechado, se hubiera pegado un tiro allí mismo.

Porque Ernesto Placeres siempre quiso a Carmen más que a su propia persona, desde el primer día en que la vio, por más que entonces, como le sucediera tantas veces, no fuese capaz de prever el destino que compartirían. Le gustaron sus ojos, enormes y negros, y le gustó más todavía su pausado caminar, la elegancia de sus gestos y la lujuria que se escondía en sus labios. No dejó de pensar en Carmen durante semanas que se le hicieron eternas; y para que el tiempo pasase más rápido, empleó sus ratos muertos en averiguar la vida entera de la que sería su mujer, y mientras tanto no dejaba ni un instante de preguntarse por qué no podía apartar a aquella hembra de su pensamiento. Su duda no encontró respuesta hasta la noche en que soñó con ella: despertó agotado, la ropa esparcida por el suelo del cuarto y la piel arañada por sus propias manos; las sábanas estaban manchadas y Ernesto Placeres todavía sentía en la boca el sabor de los labios carnosos de aquella mujer, y en el cuerpo entero le quemaban las huellas dejadas en sueños.

—Si es así en la imaginación, cómo será en la realidad... —pensó mientras reparaba en los efectos que aquella noche de desenfreno irreal habían tenido sobre él.

En ésas estaba cuando cayó en el error de imaginar otra vez el cuerpo de Carmen, supliendo con la fantasía febril del amante los contornos que no conocía. Le inventó las curvas de las caderas, la suavidad de los pechos y la redondez de los muslos; paladeó el sabor agridulce de los huecos más ocultos y hundió sus manos en aquellas profundidades, en busca de ricos tesoros que no tardó en encontrar, siempre con la mirada atenta de su compañera y la ayuda decidida de los dedos de ella para guiarle por las caricias más osadas. Aquel día Ernesto no fue a trabajar: enfermó de miedo, por si en su destino estaba escrito que no atesorase ninguna de las riquezas que había llegado a rozar en el sueño y en la vigilia. Pasó dos días en cama, ardiendo de fiebre y llamando a Carmen en su delirio, hasta que se le pasó la calentura y regresó el terror.

Pero en realidad no había por qué temer: Ernesto Placeres era un hombre con suerte, y hacía semanas que la propia Carmen andaba enferma de un mal similar. Tampoco ella podía apartar de su mente la espalda ancha de aquel hombre, y también sus sueños se habían vuelto agitados y ardientes; en ellos, la joven virgen era capaz de actuar como si otra que no fuese ella misma guiase sus actos, y le indicase con precisión lo que había que hacer: subir, bajar, lamer, frotar, quedarse quieta o adoptar posturas inconcebibles unos instantes antes. Despertaba luego bruñida en sudor y rezumando olores que podía encontrar sin tener que buscar demasiado en la yema de sus dedos. El resto del día lo pasaba inquieta, deseando que llegase de nuevo la noche y temiendo que alguien intuyese el abominable animal que se le había colado dentro y al que, sin embargo, por nada del mundo quería renunciar. Pero no eran ésos los únicos sueños de Carmen, aunque sí los más frecuentes; también había noches en las que Ernesto Placeres permanecía tumbado a su lado en la cama. Hablaban del campo, de las cosechas, de los hijos; conversaban sin prisa, como si la vida entera les perteneciera y toda la felicidad del mundo estuviera a su disposición. Entonces Carmen tenía la certeza de que le quería más allá de cualquier placer físico que aquel hombre le pudiera entregar. Y con aquella seguridad vivieron los dos, sin cruzar palabra el uno con el otro cuantas veces se encontraron, hasta que llegó el día en que Ernesto Placeres decidió afrontar aquel sentimiento y convertir en realidad sus fantasías.

Lo tenía todo previsto: si Carmen le rechazaba, abandonaría Ojos Verdes para no volver jamás a coincidir con ella, ni vivir con el tormento de que le visitara en las noches, haciendo de sus sueños pesadillas. Es más, en casa tenía la maleta preparada con dos mudas de ropa y todo el dinero que había podido reunir sin que su familia sospechara.

La esperó el domingo, a la salida de misa. Ella vestía de blanco, calzaba botines de color marfil y adornaba su escote con un collar de perlas falsas anudado al pecho. En la mano izquierda portaba una sombrilla cerrada y en la derecha aguantaba un libro de oraciones de misa. Tras ella andaban sus padres cuando Ernesto Placeres le salió al paso. Ambos se miraron. Ella se detuvo y le sonrió tímidamente.

—Carmen, si me lo permite, quisiera hablar con usted —la voz de Ernesto sonó solemne para enmascarar sus nervios.

—Sí —respondió ella.

—Verá, yo quisiera… —tragó saliva—, yo quisiera hablar con usted, si me lo permite.

—Ya le he dicho que sí —Carmen comprendió al instante lo que sucedía y apenas si dio crédito a su buena fortuna—. Ya le he dicho que le permito hablar conmigo de lo que quiera.

—Bueno, en ese caso, yo quisiera preguntarle, Carmen, si está usted en relaciones con alguien. Sé que no son formas de preguntar por un particular como ése, pero, verá, es que si no es así, tal vez nosotros dos pudiésemos hacerlo. Tener relaciones, digo —Ernesto dejó de caminar—. ¿Qué me dice?

Carmen sonrió de nuevo, esta vez abiertamente. Detuvo también su marcha y le miró a los ojos.

—Claro que sí —respondió—. Por Dios, qué preguntas me hace, como si acaso pudiera responder otra cosa: claro que sí, claro que quiero que tengamos relaciones.

Un año después, justamente el día en que se convirtió en su esposa, Ernesto Placeres volvió a verla en la puerta de la misma iglesia, vestida también de blanco y dispuesta a hacer reales todas las fantasías que ambos habían inventado por separado. Lo hicieron. Tuvieron tres hijos, y ni en sus mejores sueños ninguno de los dos fue capaz de imaginar una vida como la que disfrutaron hasta el día en que él no supo esquivar su destino.

Ernesto Placeres pensó sin cesar en ella en la soledad de las trincheras, cuando tenía que orinar sobre sus manos para que guardaran algo de calor y cuando sentía que el miedo terminaría por reventarle el pecho antes de que le alcanzaran las balas. Entonces, para conjurar al pánico, cerraba los ojos y volvía a verla desnuda en la cama, siempre abierta para él como una fruta madura; pero esa visión no tardó en volverse dolorosa: como le ocurrió años atrás, enfermó por la simple idea de que ella no estuviese esperándole así el día en que él volviera a casa. No hubo caso: Ernesto no regresó, aunque también en esta ocasión la suerte le vino impuesta. Abrasado por la fiebre, cruzó la frontera junto a sus compañeros vencidos que huían; y cuando despertó, se encontraba en otro país sin saber demasiado bien cómo había llegado hasta allí.

—¿Dónde estamos? —preguntó.

—En Francia —le respondió otro soldado.

—¿Y qué hacemos aquí? ¿Qué ha pasado?

—¿Cómo puedo yo responderte a estas preguntas? —el militar se encogió de hombros—. No sé qué ha pasado, y no sé qué hacemos aquí: hemos luchado, hemos perdido y ahora nadie sabe lo que nos espera —miró hacia otro lado—. ¿Conoces el idioma? —Ernesto negó con la cabeza—. Entonces lo mejor será que te recuperes cuanto antes y que trates de cruzar la frontera otra vez. Por este lado parece que las cosas tampoco son muy seguras.

Ernesto trató de restablecerse lo más rápidamente posible, aunque se tomó su tiempo antes de decidir regresar: no quería volver con las manos vacías, y lo que es peor, no quería volver siendo un perdedor, pero al fin pudo más la añoranza por el sabor de su mujer que el temor a las represalias por su pasado.

—Mañana temprano me marcho de aquí —le dijo al oído a uno de sus compañeros de exilio.

Para combatir el frío y el miedo por aquella decisión, Ernesto y sus amigos bebieron aquella noche aguardiente y vino: brindaron por la guerra, por la paz, por las mujeres, por los que habían muerto y por los que todavía estaban allí. Rieron, lloraron y entonaron canciones con la lengua ininteligible y pastosa de los borrachos. Fue una gran noche en la que se juraron amistades eternas y se tomaron firmes determinaciones, como la de alistarse voluntarios en la Legión Extranjera con los primeros rayos del día. Ernesto tampoco supo nunca por qué lo hizo, pero a la mañana siguiente no sólo no regresó a casa, sino que se encontró embarcado en un navío, rumbo a África.

—Venga, hombre, no pongas esa cara, que cinco años se pasan en un santiamén —sus compañeros legionarios trataron de animarle—. Además, así darás tiempo a que las cosas se calmen en casa y podrás ahorrar algo de dinero que llevarle a tu mujer y a tus hijos. Lo que ahora tienes que hacer es escribirles, y contárselo todo.

Carmen no recibió nunca ninguna carta, pero a pesar de todo Ernesto Placeres no dejó de pensar en ella un solo momento: ni en las noches frías, ni en los días cálidos, ni en el transcurso de las largas marchas nocturnas en las que aprendió a guiarse por el desierto bautizando siempre a las estrellas con el nombre de ella. Por entonces fue cuando comenzó recordar a otras personas que había dejado en Ojos Verdes: a sus padres, a sus hijos, a la mujer de su sobrino Amado Santiago que tanto le había gustado nada más verla y en la que le costó reconocer a la hija del hombre que asesinó. Había bailado con ella en el día de su boda, cantaron juntos una canción y tardó varios días en borrar aquella excitación de su mente; también comenzó a extrañar las calles de Ojos Verdes, los colores del campo, las casas que el pintor Ernesto Placeres, que con el tiempo se convertiría además en rotulista y decorador, había dejado a medio enjalbegar cuando se alistó en las milicias.

Pero aun así, siempre tenía tiempo para pensar en su esposa. Pensó en Carmen cuando bebió el agua fresca de los oasis, cuando conversó con los nómadas, cuando empezó a frecuentar la compañía de prostitutas con las que aliviaba la tensión de aquella soledad, y cuando decidió unirse al Ejército de la Francia Libre para combatir en la segunda guerra mundial.

—Si muero de esta manera —pensaba—, será como si muriera con ella a mi lado.

Pensó en Carmen como si ése fuese el único modo de mantener a salvo toda su cordura, y con el tiempo desarrolló la extraña habilidad de ver en los rostros de otras mujeres el rostro de la suya, la única que no sólo estaba en su pensamiento, sino que le ocupaba todo el corazón. Pensó tanto en Carmen que se acostumbró a creer que era su espíritu el que le salvaba la vida en el campo de batalla primero y en el de concentración después, el que lo mantenía alejado de las balas perdidas y el que le daba valor para resistir el hambre, el frío y el terror; se encomendaba a él cada día al levantarse, y como agradecimiento por haber sobrevivido a todo aquel horror, encargó a un joyero una medalla con la imagen de Carmen que rescató de su memoria y que juró no quitarse nunca, en todos los años que le quedaban por vivir. Por aquel entonces, Ernesto Placeres residía en París, trabajaba como pintor, y cumplió su promesa: no se apartó jamás el colgante del pecho y pensaba mostrárselo orgulloso a su mujer cuando la volviese a ver; porque Ernesto siempre quiso regresar: nunca alquiló un apartamento y siempre vivió en una pequeña pensión, sin sacar sus enseres de la vieja maleta, sin aceptar un trabajo estable, y sin intimar con ninguna de las personas que iba conociendo.

La única relación estrecha que Ernesto se permitió en todos aquellos años se redujo a su cita del último viernes de mes, cuando se reunía con sus compañeros de guerra. Comían comida española, se emborrachaban con vino español, y ebrios de alcohol y recuerdos brindaban por los vivos, por los muertos, por las noches del desierto y lloraban por los amores perdidos, que siempre terminaban convirtiéndose en la herida más insufrible.

Para aliviar esa pena, la fiesta siempre acababa en cualquier burdel de París, en el que Ernesto elegía muchachas de pechos generosos para hundir la cara en ellos mientras lloriqueaba como un niño y repetía el nombre de su mujer.

—¡Carmen! ¡Ay, Carmen! ¡Ay, mi Carmen! Que no voy a volverte a ver nunca —balbuceaba, desnudo y lloroso.

—Pero, ¿por qué no? —respondían a menudo las prostitutas, conmovidas por el llanto de Ernesto Placeres—. Todavía te queda tiempo: puedes volver mañana mismo.

Ernesto desenterraba la cara de los senos en los que la había mantenido escondida, y sonreía.

—Es cierto: nada me retiene aquí, puedo volver mañana mismo, mañana por la mañana temprano.

Para agradecerles semejante idea, Ernesto recuperaba en un instante todos los sentidos: la vista, el oído, el olfato, el gusto y el tacto; recorría con las manos el cuerpo de aquellas mujeres, probaba sus sabores, aspiraba sus olores, escuchaba sus gemidos y, antes del último estertor de placer, como el esmerado artista que se consideraba a sí mismo, se detenía para contemplar los efectos de su obra: el pecho agitado, las pupilas dilatadas, la expresión turbada, las manos temblorosas intentando aferrarse al aire para no perder la razón.

—Tu mujer va a estar muy contenta de volver a tenerte en su cama —reían ellas cuando recuperaban el resuello.

—Sí —Ernesto también reía, borracho y feliz—, estará contenta mañana. Mañana por la mañana temprano.

Pero a la mañana siguiente, siempre encontraba un motivo para aplazar ese viaje: un trabajo por terminar, un proyecto por atender, una semana más por pagar en la pensión. Y así, encadenando mañanas, por muy temprano que fuera, acabaría tropezándose con la muerte.

Hacía varios años que Ernesto Placeres no había vuelto a poner un pie en una casa de putas. Todos sus amigos estaban lejos o muertos, y había dejado de confiar en la obediencia de su cuerpo para complacer a ninguna mujer, por más que supiera que si pagaba lo suficiente ella le juraría que había sido el mejor amante que había tenido en la vida. Era ya viejo, y tampoco trabajaba, aunque en su cartera siguiera guardando tarjetas con su nombre y profesión: «Ernesto Placeres —decían—, pintor, rotulista y decorador». A menudo vagaba como un turista por las orillas soleadas del Sena, y mientras contemplaba a las parejas que caminaban cogidas de la mano, pensaba en Carmen y se preguntaba si ella todavía viviría, si le seguiría esperando, si aún le querría; sentía entonces a su corazón reclamándole el valor que siempre le había fallado en el último momento, y antes de terminar su paseo decidía que al día siguiente tomaría el primer tren de vuelta a casa. Pero cuando llegaba a la pequeña pensión, con la medalla de Carmen rozando su pecho, le recibía su imagen en el espejo del vestíbulo: los ojos hundidos, la espalda arqueada, el cabello blanco, la cara arrugada. Se encerraba en la habitación sin hablar ni comer y no volvía a bajar al río en unos días, guardándole rencor por recordarle todo lo que había perdido.

Una mañana, se sintió mareado y orinó sangre. Trató de no darle importancia, pero cuando pasaron seis días y no remitieron los síntomas, decidió ir al médico.

—¿Cuántos años tiene usted, señor? —le preguntó el doctor.

Ernesto dudó antes de contestar.

—Ochenta y cinco, creo —respondió.

—Mire, le seré sincero: es usted muy mayor. Esto puede no ser bueno.

—¿Quiere decir que me voy a morir? —la voz le sonó hueca, retumbando en el miedo.

—Yo no he dicho tal cosa. Hay que hacer muchas pruebas todavía, y hoy en día casi todas las enfermedades tienen remedio —el médico trató de ser amable y sonrió a su paciente—. Puede que no tenga usted nada, pero aun así, se trata de una persona muy mayor. Debería vigilar su salud, cuidarse. ¿Vive usted con su familia? —Ernesto respondió con un gesto—. ¿Vive solo, entonces? —asintió—. Eso no está bien, tiene usted que comprenderlo. Piense que tiene muchas opciones: asilos, residencias, viviendas compartidas, cualquier cosa menos estar solo, y menos a su edad. ¿Lo comprende?

Ernesto dejó de estrujar la boina con las manos; se la colocó sobre la cabeza, y repitió el gesto con su abrigo forrado de lana. Se levantó. Ya en pie se envolvió el cuello con una bufanda de cuadros marrones e hizo ademán de abandonar la consulta.

—¿Me ha comprendido, señor? —preguntó el médico, también puesto en pie.

—No se imagina usted hasta qué punto —respondió Ernesto antes de salir.

Paseó por las calles hasta que el frío se metió de verdad en sus huesos, pero cuando regresó a la pensión lo hizo con una sonrisa en los labios: no sentía frío, ni tampoco miedo por primera vez en mucho tiempo. Fue hasta su cuarto y allí dejó el abrigo, la boina, la bufanda, y los guantes; después salió de la habitación y buscó a un joven estudiante español que desde hacía unos meses residía en la pensión mientras aprendía el idioma. Lo encontró sentado frente al televisor.

—Perdona, hijo —le rozó el hombro levemente y el joven se volvió a mirarle—. Perdona que te moleste, pero quisiera pedirte un favor.

—¿En qué le puedo ser útil, don Ernesto?

—Pues verás, estoy algo nervioso, algo asustado, y hay algo que quiero que hagas por mí.

—¿Qué es lo que quiere? Dígamelo, no tenga apuro, que ya sabe que haré lo que sea con muchísimo gusto.

—Verás, necesito que me hagas un par de favores

—Lo que quiera, ya lo sabe.

—Quiero que me compres un billete de tren. Me vuelvo a casa —anunció, triunfante, como quien acaba de ganar una guerra.

—Pues hace usted muy bien —el joven palmeó su espalda—. ¿Y la segunda cosa?

—Quiero que escribas una carta por mí.

**N**UNCA HABÍA VISTO LA LETRA DE ERNESTO PLACE-res, y de nada me hubiera servido porque —según luego supe— aquella carta no la había escrito él. Pero a pesar de todo identifiqué a mi hombre en cada renglón de aquella misiva que había pasado la vida esperando; en cambio él no supo reconocerme en el andén cuando fui a recogerle a la estación del ferrocarril, que por fin llegaba a Ojos Verdes. Caminaba despacio y miraba a su alrededor con aire desorientado, mientras un mozo le ayudaba con sus maletas. Yo me acerqué a él.

—¿Ernesto? ¿Ernesto, eres tú?

—¿Carmen?

—No, no soy Carmen —despedí al muchacho y me hice cargo de su equipaje—. Soy Raquel dos Santos, la mujer de tu sobrino Amado Santiago. ¿Te acuerdas de mí?

Ernesto volvió la cabeza, buscando a alguien más. El andén permanecía desierto.

—Pero, ¿y Carmen? ¿Y mis hijos?

—Bueno —traté de serenarme. Le miré, y pueden creer que en su gesto cansado encontré las mismas huellas que en el rostro que llevaba más de cuarenta años recordando–, en todo este tiempo han pasado muchas cosas. Será mejor que vayamos a casa, y allí te contaré todo lo que tú quieras saber.

—¿A mi casa? —Ernesto parecía a punto de echarse a llorar.

—Iremos primero a la mía. Allí te he preparado un cuarto: verás que te sientes como en tu casa.

—¿Como en casa? —repitió mis palabras—. No será posible: debe de hacer mucho tiempo que perdí mi casa, y es ahora cuando me doy cuenta.

No quiso ir al cementerio a llevarle flores a su mujer muerta, y se negó a que escribiese a sus hijos a la ciudad en la que vivían desde hacía años. Escuchó con expresión ausente mi relato de todos los acontecimientos que él se había perdido, que comenzaron cuando una madrugada durmió la borrachera mecido por el zarandeo del camión que le llevaba a la guerra y que terminaron cuando el cartero me entregó una carta dirigida a la familia de mi primer marido.

—Las cosas han cambiado mucho por aquí, yo debo de ser la única de la familia que todavía vive en Ojos Verdes, y como somos prácticamente parientes, pensé que sería mejor quedarme con la carta que devolverla al correo. ¿No te parece que hice bien?

Ernesto hizo un esfuerzo por mostrarse amable.

—¿Está mi sobrino en tu casa?

—Amado Santiago murió hace muchos años, pocos meses después de la boda, el pobre… ¡Ay! Mi Amado Santiago, que en gloria esté, mi pobre Amado, que no llegó a conocer nunca a su hijo… Hace tanto que murió… Pero, por favor, no dejes que te aburra con mis historias —Ernesto hizo un gesto con la mano, como dándome permiso para que siguiera hablando—. Después de enviudar, me casé dos veces más. Bueno, sólo una vez, porque la segunda no llegué a casarme. No me mires así: no nos dio tiempo, él se murió antes de hacerlo. Pero nos hubiéramos casado, era un buen hombre, un hombre respetuoso y atento. Era argentino, se llamaba Jorge Carlos Valentinetti, y tuvimos otro hijo, pero él tampoco llegó a conocerlo, es más: ni siquiera supo que lo había engendrado. ¿Quieres que te cuente el resto en otra ocasión? —él negó con la cabeza—. Después tuve una hija, una niña, mi Rosa... su padre sí la conoció, y vivió muchos años junto a nosotras, hasta que yo... —guardé silencio de pronto, incapaz de terminar mi frase.

A él, en cualquier caso, no pareció importarle lo que yo no quise decir.

—Entonces, ¿están tus hijos y tu marido en casa?

—No, tampoco. Mi hijo mayor, Lucio, murió cuando era un niño en un accidente, mientras jugaba con su hermano. Mi segundo hijo, Adolfo, fue un cantante de éxito. Cantó ópera por el mundo entero, hasta en París. Murió también siendo muy joven, el pobre.

—¿Y la niña?

—La niña... mi niña... Ojalá la hubieras conocido, era la niña más guapa del mundo, y además era muy lista. Era negrita, como su abuela paterna. Fue ella quien me advirtió que llegaría tu carta, poco antes de morir. Todos han muerto, Ernesto. Sólo quedamos tú y yo.

Ernesto no contestó.

—¿Y a ti? ¿Cómo te han ido las cosas por París?

—Mira, Raquel, no te ofendas, ni te lo tomes a mal, pero no tengo ganas de hablar. Sé que tratas de ser amable conmigo, pero si no te importa, prefiero ir a dormir. Ha sido un viaje muy largo y estoy cansado. Te agradezco mucho que hayas venido a por mí, que seas tan hospitalaria, pero han sido muchas emociones en muy poco tiempo, ¿me comprendes? Pensaba encontrar a mi mujer, o al menos a alguno de mis hijos... Ya sé que ha pasado mucho tiempo sin que nadie supiera de mí, pero ahora yo también necesito tiempo, para asimilar todo lo que ha pasado, especialmente todos mis errores.

Le acaricié el brazo.

—No te preocupes, Ernesto, no te preocupes por nada. Ésta es tu casa, tanto como mía, y cualquiera de mis cosas también es tuya: somos familia, no lo olvides. Y ahora vete a descansar. Tenemos todo el tiempo del mundo para hablar, para pensar qué es lo que vamos a hacer a partir de ahora. No pienses en nada, y mucho menos en esos errores de los que hablas. Ahora estás en casa, estás aquí, y eso es lo único que importa. Verás cómo todo va a salir bien.

Una vez más —creo que por última vez— me equivoqué: esa noche, Ernesto Placeres moría en mi cama, víctima de la pena infinita por todas sus pérdidas. Yo misma fui a comprar la ropa para amortajarle: camisa blanca, pantalones de pana y una chaqueta de lana igual a la que yo le recordaba. Le desnudé para lavarlo con agua perfumada, y la muerte me devolvió al hombre vigoroso y fuerte del que yo me enamoré; humedecí su pecho con un paño de algodón, afeité la barba dura y blanca, y le peiné el cabello hacia atrás. Le calcé con cuidado y acaricié su cara.

—Ay, Ernesto, que no he hecho otra cosa más que esperarte, más que imaginar qué haría cuando estuviera a tu lado. No he hecho más que aguardar a que llegase la vida que tú y yo viviríamos juntos. ¿Qué voy a hacer ahora con todos esos sueños? ¿Qué voy a hacer con mis ojos, ahora? ¿Para qué me van a servir, si ya no van a poder verte? —miré su cuerpo, rígido y recién amortajado—.¿Qué voy a hacer con mis labios? ¿Y con mis manos, qué voy a hacer? —levanté los brazos hacia el techo de la habitación y observé mis dedos con detenimiento, huérfanos desde ese día y para siempre—. ¿Qué voy a hacer con todos los besos, con todas las caricias que he guardado para ti?

Sólo yo seguí el ataúd que enterró a Ernesto Placeres y me senté junto a él en el cementerio, por si le daba miedo la soledad cuando llegase la noche. Allí me quedé dos días, arreglando la arena de la sepultura y conversando con la tierra roja que le separaba de mí. Allí le conté de mi vida, le hablé de mis tres maridos y le confesé cuánto le había extrañado cada día, «cada día, Ernesto, que no ha habido un día en que no pensase en ti», le decía mientras acariciaba el montículo de tierra que le cubría.

Cuando vinieron a colocar la lápida me marché del cementerio. Esa misma noche me corté el cabello, escribí a sus hijos para darles la noticia, y yo misma cosí siete trajes negros, con los que cada mañana acudía al cementerio: limpiaba su lápida, la decoraba con flores, arrancaba las malas hierbas y después me sentaba en una orilla de la sepultura a conversar con él. Antes de marcharme, me arrodillaba junto a su fotografía y depositaba un beso suave sobre el frío cristal; luego, volvía a mi casa, me tumbaba en la cama en la que la muerte me robó a Ernesto Placeres y esperaba a que llegase la noche.

Tapé con un velo todos los espejos y caminaba por la casa alumbrada con la luz de una escuálida vela, porque no quería que nada me devolviera la imagen de mi soledad. Nunca visité la tumba de Fernando Resurrección, ni tampoco la de la niña Dolores, que al fin se habían reencontrado con los amores de sus vidas, cumpliéndose así el augurio de mi hijita Julia, también enterrada cerca de ella, junto a mi madre y a mi hijo Lucio. No me di ni cuenta, ¿pueden creerlo? No me di cuenta de lo que estaba pasando: tampoco eso ahora me ofrece consuelo. Pensé que la muerte me encontraría un día cualquiera, acurrucada al lado de la sepultura, mirando de lejos su fotografía. Pero aquella intuición no era más que otra de mis equivocaciones: hace años que no he vuelto por allí, desde el día en que volvieron los hijos de Ernesto Placeres.

—Señora, ¿qué hace usted aquí?

—¿Cómo que qué hago? —protesté, enojada—. ¿Es que no lo ve? Estoy limpiando la tumba.

—¿Quién es usted?

Dudé un instante antes de responder, pero la verdad salió de mí con la fuerza de todos aquellos años de inútil espera:

—Soy la mujer de Ernesto Placeres —les miré, desafiante, y luego rectifiqué—, la viuda de Ernesto Placeres.

—¿Qué está diciendo? —dieron un paso hacia atrás—. ¿No le da vergüenza estar aquí? Puede que fuera la puta de mi padre mientras mi madre pasó toda la vida esperándole, pero usted no es la viuda de nadie. ¡Márchese de aquí ahora mismo!

—Yo también le he esperado toda la vida, más que vuestra madre: por eso aún estoy viva. Más que vuestra madre. Yo soy su viuda, más que vuestra madre.

Ellos me miraron desconcertados. Un grupo de gente había acudido a nuestro alrededor, y uno de los espectadores trató de calmarles:

—Déjenla —les pidió—. Déjenla, por favor. ¿No ven que no hace daño a nadie? Ella nunca ha sido la amante de vuestro padre: nunca ha salido de este pueblo, y desde que vuestro padre murió no se ha separado de la tumba.

—Pero, ¿quién es esta mujer? —los hijos de Ernesto hablaban de mí como si yo no estuviera allí presente.

Yo intenté decirles que era Raquel dos Santos y que en toda mi vida no había hecho otra cosa que esperar a Ernesto Placeres. Quise suplicarles que no me apartasen de allí, que era Raquel dos Santos, que amaba a Ernesto Placeres, que le había esperado toda la vida y que toda esa espera me otorgaba el derecho a llorar en su tumba como su viuda, pero la voz se me volvió de goma dentro de la garganta. Les miré, asustada, y me puse a llorar.

—Déjenla, ¿qué daño puede hacerles? —insistió— ¿No ven que no es más que una loca?

Paré de llorar, y salí del cementerio con aquellas palabras resonando en mis oídos: no he sido más que una loca. Una pobre loca que no ha hecho otra cosa más que perseguir el sueño equivocado por el camino equivocado. Desde ese día espero cada noche que venga la muerte a llevarme, que alivie esta pena, que acabe este mal. Pero cada mañana me sorprende el día, viva y repitiendo mi nombre y mi mayor deseo: me llamo Raquel dos Santos, y ojalá que pronto me atrape la muerte.

No tengo memoria para recordar de dónde me viene mi primer recuerdo; lo busco mientras dura el día, y de la mano del primero llegan siempre todos los demás. Durante los primeros años, no fui capaz de revivirlos sin rabia, pero con el tiempo he comprendido que lo único que me queda es resucitar cada uno de aquellos días en mi imaginación, con serenidad, sin ningún rencor. Así es como vuelvo a sentir como si fuera mía la risa sonora de África, el llanto caliente de Julia, el amor cobarde de Maximiliano, la pasión infinita de Juvenal. Llegan los recuerdos de las vidas que no he vivido, las que me fueron prestadas para aliviar mis extravíos y mi soledad, y cada día escucho las voces frescas de mis hijos, y en mi lengua siento el sabor de todos los besos que regalaron mi boca, y en mi cuerpo noto las caricias de manos amantes. Pero cada mañana noto también en mi cuerpo el abrazo frío del tiempo perdido, y en mi lengua siento el regusto amargo de todas las palabras que no he sabido decir, y las escucho con la certeza de saber que todo hubiera podido ser diferente si no me hubiera conformado con esperar a que se cumpliese un sueño que, ahora lo sé, era un sueño absurdo.

Cada día Amado Santiago me enseña de nuevo a leer en la Biblia, y Jorge Carlos Valentinetti busca en mi cuerpo sin descanso el sabor de frutas sabrosas; y cada día, Ernesto Placeres vuelve a morirse en la cama en la que le esperé y en la que amé a otros hombres llamándoles siempre con su nombre en mi pensamiento. Y ahora, más que nunca, repito todos los nombres, recuerdo todas las caras. Para saber quiénes fueron, para pedirles perdón.

Pronuncio los nombres, todos, excepto uno, porque sólo hay uno que llevo en el alma y quiero llevarlo también prendido en los labios, como si fuera la única plegaria capaz de conjurar todos mis errores y de conseguir que el día que la muerte venga de veras a buscarme, no se me lleve con esta pena que me acompaña desde hace tanto tiempo.

Pronuncio su nombre como si mi voz pudiera traerlo de nuevo a mi vida, como si fuera posible detener los días de las tardes plácidas, llenas de música y de pasteles de nata, cuando no fui capaz de identificar la felicidad, ni tampoco el amor.

Por las noches, todavía con el pulso desacompasado, miraba su cuerpo desnudo; para tratar dormir, me entretenía siguiendo el suave paseo de su mano por mi vientre, por mis brazos, por mis senos. «Relájate —me decía—, relájate y duerme», insistía con una sonrisa, pero aquella caricia infatigable siempre tenía la virtud de contagiarme sus deseos. Agotada y ansiosa, extendía mi mano hacia él y rozaba con los dedos el vello de su pecho, el de sus brazos, el de su sexo excitado. Allí nos encontrábamos de nuevo, entre risas y abrazos, y mientras volvía a hacerme el amor, yo me preguntaba si Ernesto Placeres sería como él; pero, a pesar de todo, nunca fui capaz de responderle como necesitaba cuantas veces me llamó, con la esperanza de que aquél fuera el día en que todo cambiase para nosotros. Todavía lo escucho, «Raquel, Raquel, Raquel», y todavía puedo ver su mirada anhelante, su desolación: «No importa, Raquel. No importa que no digas que me quieres. En realidad, tampoco importa que no me quieras —trataba de sonreír. Se acercaba a mi oído y me besaba el cuello—. No importa nada: yo sí te quiero, y te voy a seguir esperando».

Así lo hizo: siguió esperando cada día, cada noche, a que yo fuera simplemente capaz de corresponderle, y no lo consiguió: nunca repetí su nombre, ni le dije que lo amaba. Pero tampoco le confesé que jamás imaginé la cara de Ernesto Placeres en la suya, que todas las caricias las recibí de sus manos, que todos los besos fueron siempre de su boca. Que no supe reconocer al amor. Por eso ahora llevo siempre junto a mí su nombre: porque ya no tengo dudas, porque ya no tengo miedo, y cuando la muerte me lleve consigo, quiero que sea mi único hombre quien me acompañe en el viaje. Por eso repito su nombre. Por eso le imploro que vuelva. Por eso le llamo. Por eso le digo te quiero. Te quiero, Miguel.

*porque tu boca es sangre*
*y tienes frío*
*tengo que amarte amor*
*tengo que amarte*
*aunque esta herida duela como dos*

Mario Benedetti

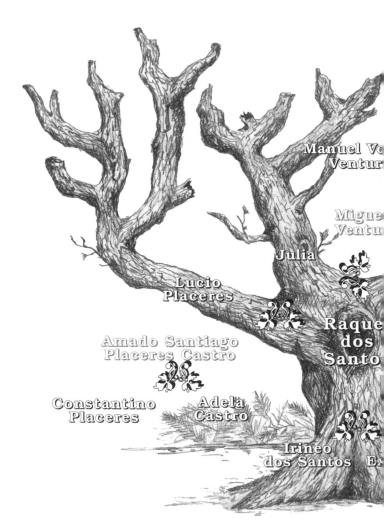

Manuel Ve
Ventur

Migue
Ventu

Julia

Lucio
Placeres

Amado Santiago
Placeres Castro

Raque
dos
Santo

Constantino
Placeres

Adela
Castro

Irineo
dos Santos    E

miliano
neros

Julia la
Mulata

La Señorita Torera,
Julia la Mulata

ra,
ico

fo dos Santos

La niña Dolores

Jorge Carlos
Valentinetti

Lupe Bruna

Inés Berbegal

rica
chez

Fernando
Resurrección

Hay algunos nombres que, por diversas razones, también merecen figurar en estas páginas, si no lo están de una forma u otra. Éstos son los nombres y sus razones:

Antonio Amoraga, por ser como es y recordar cómo soy.

Mario Amoraga, por sus abrazos y por sus sueños.

Marga Vázquez, por sacar de mí esta historia.

Isabel Costa y Rafa Vayá, por mantenerme del lado de la alegría.

Rafa Hueso, por estar siempre tan cerca.

Alicia Piquer, por ser más que una amiga.

Andrés Ruiz, por sentirse tan orgulloso desde el primer día.

María García-Lliberós y Lluis Andrés, por su apoyo.

Alfonso Rodero, José Antonio Ortiz Fuster y María José Claramunt, por su amistad.

Julio Monreal y Pedro Muelas, por sus buenos consejos.

Julia Sahuquillo, por los recuerdos.

Xelo Montesinos y Mónica Ramírez, por todo.

Piedad Alujer, por sus buenos presagios.